林汉达

林汉达 ◎ 著

[中国历史故事集]

东汉

中国少年儿童新闻出版总社
中国少年儿童出版社

图书在版编目（CIP）数据

东汉故事/林汉达著. --北京：中国少年儿童出版社，
2008.5（2013.6重印）

（林汉达中国历史故事集：美绘本）

ISBN 978-7-5007-8909-3

Ⅰ．东… Ⅱ．林… Ⅲ．儿童文学-历史故事-作品

集-中国-当代 Ⅳ．I287.5

中国版本图书馆CIP数据核字（2008)第041945号

LINHANDA ZHONGGUO LISHI GUSHIJI
（东汉故事）

出 版 发 行：中国少年儿童新闻出版总社
中国少年儿童出版社

出 版 人：李学谦
执行出版人：赵恒峰

著　者：林汉达	美术编辑：缪 惟
责任编辑：王亚南 雪 岗	插　图：刘安利
洪 涛 刘道元	责任印务：杨顺利

社　址：北京市朝阳区建国门外大街丙12号楼　　邮政编码：100022
总编室：010-57526071　　传　真：010-57526075
发行部：010-57526568
h t t p：// www.ccppg.com.cn
E-mail： zbs@ccppg.com.cn

印刷：北京缤索印刷有限公司

开本：720mm×1010mm 1/16　　印张：5.5
2008年5月第1版　　2013年6月北京第14次印刷
字数：82千字　　印数：97911-103910

ISBN 978-7-5007-8909-3/I.1054　　定价：13.50元

图书若有印装问题，请随时向印务部（010-57526539）退换。

告诉读者

雪 岗

　　这次与读者见面的是林汉达先生所著《中国历史故事集》的五种美绘本，《春秋故事》、《战国故事》、《西汉故事》、《东汉故事》和《三国故事》。其中前三种问世已有四十多年，后两种也有三十年了。2002年，曾经出版了新的合卷本。这次以美绘本出版，主要是为了让读者更方便地阅读这部传世名著。除了内容上未作任何修改以外，林先生在语言上的一些独特用法和处理，也都保持原貌，为的是让大家原原本本地领略其特有的风格。不同的是，原来的刘继卣先生等画的黑白插图这回换成了彩色插图，版式上也做了新的设计，作为一次尝试。

　　时光匆匆，逝者如水。当年，我编辑这套书的情景历历在目，然而当回首一顾的时候，竟不觉过去了三十多年，现在只能靠回忆来与今天的读者交谈了。

　　林先生写的这部历史故事书，从20世纪60年代出版以来，一直拥有大量的读者，获得了几代人的好评。我在1978年担任本书责编以后，陆续收到几百封读者来信，老老少少、各行各业的读者都表示对这部书的喜爱。近年来，虽然市场上新的历史读物层出不穷，但是林汉达的历史故事仍然留在人们视线和记忆中。有些读者认为，林汉达的《中国历史故事集》是他们看到的最好的历史故事书，当年自己看这部书长大，现在也希望自己的后代能继续看这部书。

　　我想，凡是读过此书的人都不会对这种说法感到惊奇。中国历史悠久又深厚，那么多人物、事件，写起来是个难事。林汉达先生用丝线串珠的办法，把人事历程连接起来，既重点突出又不使中断，上勾下连，大故事套着小故事，浑然成一体。还有那带"北京味"的语言，讲起来如道家常，一下子拉近了与读者的距离。引人入胜，便是这套书的必然结果。读者们大都以为作者是土生土长的北京人，实际上林先生是满嘴浙江话的南方人。他高超的组织艺术和语言技巧，完全是出于他对读者需求的深刻理解，对祖国语言的精确把握。可以说，没有真功夫是写不出这样的作品的；没有踏实心态，像现在有些作者那样浮躁和粗糙，也是绝对不会精耕细作的。

这套书所以长销四十多年不衰，在于它不但是一部优秀的历史读物，还是一部优秀的语文读物，对于向少年儿童普及历史知识，提高阅读和写作能力，都有很大作用。

很可惜，林汉达先生在"文革"中的1972年去世，他为少年朋友"一个朝代写一本"的凤愿没有实现。我在1978年接手编辑后，修订再版《春秋故事》、《战国故事》、《西汉故事》，新编了已写完而未出版的《东汉故事》，又根据林先生50万字遗稿《三国故事新编》缩写改编成《三国故事》。至此算是把林先生已写到的内容编完出版了。在这项工作中，林夫人谢立林老人，林先生的儿子林文虎和夫人谢文漪，曾任林先生秘书的贾援先生，都给予了我大力支持和帮助，在此应该向他们表示深深的敬意和感谢。

很多读者对这套书未能完成感到惋惜，在来信中希望续写续编下去，"毛遂自荐"者也有数位。当年我本想物色合适人选与我共同完成这件事，却因工作变动而中止。好在历史是常存的，历史读物是长青的。在退出编辑日常事务之后，有了自己支配的时间，我想今后的机会会有，希望也不至于落空。让我们在希望中共勉。

2008 年 1 月

東漢

绿林好汉

公元9年，汉朝的大臣王莽改汉朝为"新朝"，自己做了皇帝。他一心要把汉朝的制度改革改革。怎么改呐？照他的想法，以前的周朝就比秦汉好，他要按照古代的办法改革一番。这就奇了。改革，一般总是向前看，把旧的改为新的，使社会越来越进步，那才是道理，哪儿能往后倒退呐？王莽可不管社会的发展和老百姓的需要，一心要恢复古代的制度。这哪儿能不失败呐？

王莽复古改制的一件大事是把天下的田地改为"王田"，归朝廷所有，不准私人买卖。还叫田多的富户把多余的田交给无田人去种，这就引起了豪门、地主、贵族的反对。王莽把"王田"一下子交给农民去种，可农民一向受着沉重的剥削，他们没有农具，没有牲口，没有本钱，怎么能把硬派给他们的"王田"种好呐？结果，农业生产还不如以前了。王莽只好又下一道命令：王田又可以买卖了。他自己打自己的嘴巴，弄得威信扫地。国内人心不安，生产受到损失。

王莽还想显显新朝的威力，招募了三十万人马去打匈奴。名义上是招募，实际上是拉伕。为了打仗，还得向老百姓征军粮、征牲口。谁要是稍慢一步，就拿来办罪，动不动就处死刑或者没收为官奴。老百姓给闹得实在没法活，只有起来反抗。这么着，天下就大乱了。

西北边境五原、代郡接近匈奴这一带的老百姓，捐税和官差的负担特别重，他们首先起义了。接着，东方和南方也都有大批农民起来反抗官府。

公元 17 年，荆州（湖北、湖南一带）闹饥荒，野菜都挖光了。有人在城外挖到了一些野荸荠（bí qi），消息一传开，人们成群结队地都赶到那边去了。开头还各挖各的，后来互相争夺，打起架来。有几个老年人出来劝架，反倒挨了几拳。他们赶紧请出两个人来调解。

这两个都是新市人（新市，在湖北省京山县），一个叫王匡，一个叫王凤。他们在农民当中威信很高，谁都乐意听他们的。他两一露面，大伙儿都围了上来，那些打架的人也住了手，请他们评个理儿。

王凤维持秩序，叫王匡给打架的人排解排解。王匡站在土岗子上，挥着手，提高了嗓门对大伙儿说："乡亲们，为了挖这么一点儿野荸荠，自个儿跟自个儿打架，太不值了。就靠这点儿东西，今儿填了肚子，明儿怎么办呐？咱们还是核计核计，找条活路才好哇！"

大伙儿嚷着："对呀！找条活路才好哇！"有的说："王大哥，您说吧，咱们听您的！"王匡接着说："是谁害得咱们没有饭吃？是谁把咱们的粮食全搜刮去了？就是那些做官的狗东西！只要咱们心齐，官府也不用怕。打开粮仓，就有饭吃，大伙儿说对不对？"

"对呀！打开粮仓，就有饭吃！"他们就公推王匡、王凤为首领，一下子跟他们的就有好几百人。这支农民起义军在王匡、王凤的带领下，抢了一些粮食，占领了一个山头，叫绿林山（在湖北省当阳县）。

打这儿起，他们上打官府，下打恶霸，劫富救贫，除暴安良，没几个月工夫，就有了七八千人。后世的人就称他们为"绿林好汉"。

绿林好汉在荆州出了名，南方的另外几支农民起义军，像南郡的张霸（南郡，在湖北省江陵县）、江夏的羊牧（江夏，在湖北省黄岗县西北），各有一万来人，也都和他们互相联络，彼此接应，声势就更大了。

农民起义的消息传到了长安，王莽召集大臣们，问他们怎么办。大臣当中奉承王莽的人多。他们说："皇上不必操心，这些人既然活得不耐烦，发大军去把他们剿灭，不就结了吗？"王莽理着胡子，点点头。可有个将军站出来说："这不行啊，千万不能发兵去打老百姓！"王莽一看，原来是左将军公孙禄，就皱着眉头问他："为什么不行？"

公孙禄说："大臣当中有不少人报喜不报忧，所以下情不能上达。他们有意蒙蔽皇上，有的乱划田地，叫农民没法耕种；有的不顾老百姓的痛苦，只知道加重捐税。百姓造反，罪在官吏。只要皇上惩办这些贪污的官吏，向天下赔不是，再派贤良的大臣去安抚全国，国内就能够安定下来。进攻匈奴的军队应当赶快撤回来，再跟匈奴讲和。从今天的形势看来，可忧虑的不是塞外的匈奴，而在中原！"

王莽只准别人顺着他说话，公孙禄那样顶撞他，他一听就有气。他叫卫士们把公孙禄轰了出去。接着下了命令，吩咐荆州的长官快去剿灭绿林。荆州的长官不敢怠慢，马上召集了两万官兵，浩浩荡荡杀奔绿林而来。

绿林的首领们立刻带领着弟兄们迎了上去。跟大队的官兵交战，他们还是第一次。官兵一向欺压老百姓，要打就打，要杀就杀，反正他们手里有刀，老百姓没有刀。没防到绿林好汉跟他们拼起命来，越打越精神。官兵招架不住，开头还慢慢地后退，后来连爬带滚，四散逃跑，还死伤了好几千人。兵器和粮草，扔得沿路都是。

王匡、王凤趁着机会，攻进竟陵（在湖北省天门县西北）、安陆（在湖北省应山县南）两个城，打开监狱，放出囚犯；打开粮仓，把粮食分了一些给城里的贫民，大部分都搬上了绿林山。

他们回到绿林，人数增加到五万多。想不到第二年（公元22年），绿林发生了疫病，一天当中就死了几百人，两个月下来，五万人死了快一半。其余的人只好分成几路，离开绿林。其中一路占领了南阳（在河南省），称为"新市兵"；一路占领了南郡，称为"下江兵"；一路占领了平林（在湖北省随县东北），称为"平林兵"。这三路起义军，还统称"绿林军"。

平林有个避难的原汉室贵族子弟，叫刘玄。他正隐姓埋名，藏在他姥姥家。这会儿，听说农民们起来反抗官府了，想着自己这么躲躲藏藏，总不是个了局，就投奔了绿林的"平林兵"，还当了一名首领。

这时候，除了荆州一个地方，东方、西方、北方的老百姓也纷纷起义，弄得王莽应付不了啦。

东方的琅邪郡海曲县（在山东省日照县）有个公差，叫吕育。他没依着县官的命令，去打那些交不出捐税的穷哥儿们。县长硬说他勾结刁民，反抗官府，把他办成死罪，杀了。这就激起了公愤。吕育的妈妈挺有魄力，约会了一百多个穷苦农民替她儿子报仇，杀了那个狗官。穷哥儿们跟着吕妈妈来到黄海一个小岛上，瞅着机会就上岸攻打官府，打开监狱，打开粮仓。等到大队的官兵调到那儿，他们早就下了海了。吕妈妈的名声越来越大，没多少日子，跟着吕妈妈的就有了一万多人。

第二年（公元18年），莒县（在山东省，莒jǔ）又出现了一支农民起义军，首领名叫樊崇。莒县官兵多，防守严，樊崇他们没能打进去。他们就以泰山为根据地，在青州和徐州之间来回打击官府。不到一年工夫，各地投奔樊崇的就有一万多人。后来，吕妈妈害病死了。她手下的一万多人都上了泰山，归附樊崇。这支起义军的声势也大了起来。

公元21年，王莽派大将景尚带兵去围剿，打了个大败仗，连景尚也叫起义军给杀了。

王莽得到消息，眼睛往上一翻，差点儿背过气去。他对太师王匡（和绿林起义军的首领王匡是同名同姓的另一个人）说："荆州的盗贼还没消灭，琅邪的盗贼又起来了，不给他们点儿严厉的，那还了得！"太师王匡说："只要集中兵马，先打一头，看他们活得了活不了。"王莽很赞成先打一头的打法，他说："好，先去剿灭琅邪的盗贼。要多带兵马，两万不够，五万，五万不够，十万。"他就派太师王匡亲自出马，再派更始将军廉丹当副手，率领十万大军，浩浩荡荡地又去围剿樊崇军。

樊崇他们听到了风声，准备跟官兵大战一场。他们怕打起仗来，人马混杂，自己不认识自己人，就想了一个办法，叫起义的农民都在眉毛上涂上红颜色作为记号，二来也好显出起义军的威严。为了这个缘故，这支东方起义军就得了个外号，叫"赤眉"。

赤眉军只是反抗官府，不伤害老百姓。他们立了两条公约：第一条，杀害老百姓的定死罪；第二条，打伤老百姓的受责打。赤眉军很守纪律，真的到了哪儿，哪儿的老百姓都欢迎。太师王匡和更始将军廉丹的官兵正好相反，他们别的本领没有，欺压老百姓可到了家了。他们沿路奸淫掳掠，无恶不作。老百姓都说：

宁可碰到赤眉，

不要碰到太师；

碰到太师已经糟糕，

碰到更始性命难保。

赤眉兵不怕死，纪律又好，老百姓向着他们。他们的人数比官兵少，力量可比官兵大。开头的时候，廉丹还占上风，以后越打越不行。他们跟赤眉军在须昌（在山东省东平县）大战一场。太师王匡做梦也没想到涂着红眉毛的庄稼人还敢跟他对敌，竟把官兵团团包围住了。官兵不愿意拼命，赤眉军可拼着命攻上来了。樊崇是个大力士，枪头"出出出"地对着太师王匡直扎过来，猛极了。太师王匡举起大刀朝樊崇的肩膀横劈过去，樊崇用枪只一架，就震得他双手发麻。他心想："哎呀，这么厉害！"拉转马头就往回逃。樊崇的枪头"出出出"地又直逼过来，太师王匡的大腿上给他扎了一枪。樊崇拔出枪来，准备再扎过去，太师王匡仗着马快，一眨巴眼儿跑远了。更始将军廉丹好容易杀出重围，又碰上了一支农民军，末了儿，死在乱军之中。

十万官兵，逃了太师，死了大将，没有个发号施令的将官，还卖的什么命啊，乱哄哄地散了一大半，有一部分投降了赤眉军。赤眉军越打越强，人数增加到十多万了。

兵荒马乱且不说，还到处都闹饥荒，关东又有不少人活活地饿死了。逃荒的，逃难的，听说京城长安有粮食，一批一批地往关中拥过去。守关的没法拦阻，慌忙往上报，说进关的难民有几十万。王莽只好下令开仓发粮，派官吏去救济难民。官吏们层层克扣（kè kòu），粮食哪会到得了难民嘴里。难民上千上万地死去，长安街上每天都有路倒的。

消息传到王莽的耳朵里，他就把管理长安市政的王业叫来，问他："听说有几十万难民进了关，我马上下令开仓救济。怎么到了今天，据说还有人饿死。这是怎么回事？你是管理京城的朝廷命官，知道不知道？"王业心里早有了底儿，他不慌不忙地说："这些人都是流氓，不是真正的难民。"他拿了些从菜馆子里买来的米饭和肉羹（gēng）给王莽看，对王莽说："这是他们吃的东西，不太坏吧！"王莽不相信，吩咐左右再拿些难民的伙食让他看个清楚。这管什么用啊，底下的人早布置好了，叫他不能不信。他透了一口气，说："这些人吃得这么好，怎么能是难民呐？"经过了这样一番"调查"，他放了心，就派使者分头去催促各路官兵加紧围剿，一定要消灭绿林和赤眉。

绿林军在荆州，赤眉军在东海，打败了王莽的两路大军。别的地方的起义农民听到消息，更加活跃起来，单黄河两岸，就有大小起义军几十路。声势最大的，要数铜马。可是各地的起义军彼此没有联络，都自个儿打自个儿的。

那些地主、豪强和倒了霉的汉朝贵族，趁着机会也混进了农民起义军的队伍。在南阳的舂陵县（舂 chōng），有一家刘家宗室的子孙，也野心勃勃，发动起来了。

刘氏举兵

南阳春陵县住着汉朝的一个远房宗室叫刘钦。他有三个儿子，老大叫刘缜（yǎn），老二叫刘仲，老三叫刘秀。他们一直痛恨王莽，老想恢复刘家汉朝的天下。大哥刘缜性情刚强；小兄弟刘秀生性谨慎，态度沉着。刘缜老讽刺刘秀，笑他没有多大出息。刘秀听了也无所谓。他觉得要成大事，非得跟那些当官的结交一下。他就到了长安，进了太学，拜了老师，结识了一些名人。后来从太学回来，就做起粮食买卖，成了个大商人。

有一天，刘秀运着一些谷子到宛县（在南阳市）去卖，在街上碰到了好朋友李通和李轶（yì）。李通和李轶把刘秀请到家里，跟他说："现在四方乱糟糟的，王莽眼看着不行了，咱们南阳地方就数你们哥儿俩最能干，你们又是宗室，何不趁此机会，召集人马，夺取天下，也好恢复汉室。"刘秀一听，正合了自己的心愿。三个人谈得挺对劲儿，就约定在南阳发兵。李通在宛县很有势力，他一发动，召集几百个人并不困难。李轶就叫李通留在宛县，自己跟着刘秀到春陵去见刘缜。

刘缜有了李通和李轶两人做助手，就召集了一百来个豪强，对他们说："王莽暴虐，老百姓都起兵了。这是上天叫新朝灭亡的时候，也是我们平定天下，恢复高帝事业的时候了。"大伙儿都很赞成，马上分头到附近的各县去发动自己的亲戚、朋友，一同起兵。

刘缜在春陵公开号召南阳豪强们起兵反抗王莽。有几家害怕了，有的干脆躲着他，还说："造反可不是闹着玩儿的。跟着刘縯莽里莽撞地出去，豁出一条命还是小事，弄不好了还得灭门呐！"后来他们瞧见那个一向小心谨慎的刘秀也穿上军装，拿着刀，不由得改变了主意，一下子就来了七八千人，就等着李通那一边到这儿来会齐了。

等了几天，李通那边还没有人来，刘縯只好派人去打听。派去的那个人到了宛县城里，在大街上就听见有人喊喊喳喳地议论。他挤在中间探问了一下，才知道李通还没发动，就给官府发觉了。李通逃了，李家一门来不及逃的全都给抓了去，一共死了六十四个人。

李通那一头吹了。刘縯这儿只有七八千人，成不了大事。正好新市兵和平林兵已经到了南阳。刘縯就派人去见新市兵的首领王凤和平林兵的首领陈牧，劝他们共同去进攻长聚，他们同意了。三路人马联合起来往西打去，这第一仗，旗开得胜，长聚打下来了。接着又打下了棘阳（在河南省新野县东北），就把军队驻扎下来。

刘縯又打算进攻宛县，半道上碰上了王莽的大将甄阜（zhēn fù）和梁邱赐的大军。刘縯他们都是步兵，连刀枪也不齐全，简直没法对打。这第二仗，南阳兵败了，还败得挺惨，只得退到棘阳，守在那儿。甄阜和梁邱赐不肯放松，他们把粮食和军用物资留在兰乡（在泌阳县），率领着十万大军过了沘水（即泌阳河），把桥都毁了，放出话来说，不消灭"绿林盗贼"决不回头。

新市兵和平林兵的两个首领来见刘縯和刘秀。他们说："甄阜和梁邱赐有十万兵马，叫我们怎么抵挡得了？还不如扔了棘阳，暂时退到别处去吧！"刘縯嘴上叫他们不要怕，心里可也挺着急的。正在为难的时候，忽然进来一个人，说："下江兵到了宜秋（在河南省唐河县西南）。我们联合起来，一定能够打败敌人。"刘縯哥儿俩一看，原来是李通。刘秀高兴地说："这就好了！你怎么到了这儿？"李通说："我从家里逃出来，四处奔波。听说你们在这儿很为难，棘阳也许守不住，刚巧下江兵到了宜秋，我才赶来报信。下江兵的首领王常挺了不起，你们去请他帮助，他准肯出力。"

刘縯马上带着刘秀和李通亲自跑到宜秋去见王常。刘縯跟他说明两路

人马联合起来的好处。王常挺痛快地说："王莽暴虐，失了民心。现在你们起来，我愿意做个助手。"刘縯说："如果大事成功，难道我刘家独享富贵吗？"刘縯跟王常当下就订了盟约。

王常送走了刘縯他们，回来就把这件事跟另外两个首领成丹和张卬（áng）说了一遍。成丹和张卬不大同意，说："大丈夫起兵，就该自己做主，何必去依靠别人，受人家的节制？"可是，他们一向佩服王常，最后还是听了他的话。打这儿起，农民起义军跟地主武装就混合在一起了。

王常、成丹、张卬他们带着下江兵赶到棘阳。跟南阳兵、新市兵、平林兵合在一起，准备跟甄阜他们干一下子。刘縯跟各路将士订了盟约，大摆酒席，休息三天。到了十二月三十那天，刘縯提出他的作战计划。就在当天晚上先去袭击兰乡，断了官兵的粮草。

把守兰乡的官兵怎么也不会想到兰乡会遭到袭击，他们大吃大喝地过除夕，大伙儿都醉了，睡得死死的。半夜里人家已经偷偷地到了跟前，他们还没醒，怎么还能抵抗呐？四路起义人马杀散了兰乡的士兵，把甄阜、梁邱赐留在那儿的粮草能搬的都搬到棘阳去，来不及搬的，放一把火，全都烧了。

第二天就是元旦，起义军进攻沘水。沘水那边，甄阜和梁邱赐听说丢了兰乡，早就慌了神，想不到起义军已经到了跟前。大伙儿手忙脚乱地抵挡了一阵，死的死，逃的逃，甄阜和梁邱赐都给杀了，士兵死伤了两万多。王莽另一路大军赶来救援，也给打得一败涂地。起义军趁势把宛县团团围住。

这时候，四路人马合起来已经有十多万人了，该有个最高首领，才能够统一号令。四路起义军的首领们这就商量开了。贵族、地主出身的一些将士利用农民的正统观念，提出了一个口号，叫"人心思汉"。他们说："人心思汉，已经不是一天了。必须立个姓刘的人做皇帝，才符合人们的愿望。"可是军队里姓刘的人多着呐，立哪一个好呐？南阳兵和下江兵的首领王常主张立刘縯。新市兵和平林兵的首领怕刘縯的势力大，主张立没有实权的刘玄，连下江兵的张卬也同意。最后，立刘玄这一派占了多数。

刘縯不服气，可他的兵力不够，只好绕着弯儿反对。他说："诸君要立汉朝的后代，我们刘家的子孙万分感激。现在赤眉军也有十多万人在青州和徐州，要是他们听到南阳立了个宗室做皇帝，他们也立个宗室做皇帝，那怎么办呐？王莽还没消灭，宗室跟宗室倒先对立起来，叫天下人怀疑，又削弱了自己的力量。咱们不如先立个王。有了王，也可以统一号令了。如果赤眉立了个贤明的天子，咱们就去归附他，他决不会废去咱们的爵位。要是他们没立，咱们先消灭了王莽，再回到东边去收服赤眉。到那时候再立天子，也不晚呐。"

别人谁也不说话。张卬拔出宝剑来往地下一剁，大声地说："三心二意的，不能成大事。今天已经这么决定了，不应该再有第二句话！"刘縯不敢再反对。这么着，当时就决定立刘玄为皇帝。

公元23年二月初一日，在淯水（就是河南省白河）举行了皇帝登基仪式，改元为"更始"。刘玄拜王匡、王凤为"上公"，朱鲔（wěi）为"大司马"，刘縯为"大司徒"，陈牧为"大司空"（大司马、大司徒、大司空就是以前的太尉、丞相、御史大夫，总称"三公"，三公之上还有个名位更高、没有实权的"上公"）。刘秀为"太常偏将军"，其余的将士各有各的职位。打这儿起，绿林起义军称为"汉军"。汉军的大权掌握在新市和平林将士们的手里，舂陵的刘家军很失望，表面上不说什么，心里已另作打算了。

昆阳大战

更始皇帝刘玄派王凤、王常、刘秀他们去进攻昆阳（在河南省叶县），派刘缜围攻宛县。镇守宛县的将军叫岑彭（岑 cén），十分厉害，刘缜没法儿打进去。昆阳兵力薄弱，很快地就给王凤、王常、刘秀他们打下了。接着，他们又打下了临近的定陵（在河南省郾城县西北）和郾城（就是河南省郾城县）两个县。

王莽听到了汉军立刘玄为皇帝，又打下了昆阳，围攻宛县，急得坐也不是，站也不是，可还装作满不在乎的样子。就在这么紧急的时候，他还搜罗天下美女，娶个小姑娘做皇后。王莽已经六十八岁了，头发、胡子全都白了。他把头发和胡子染黑，又做了新郎，还在搜罗来的美女当中挑选不少人做妃子。后宫的大事办完了，他才派司徒王寻和司空王邑去各地征调兵马，到洛阳会齐，先去平定南阳这一头。王寻、王邑集合了四十二万人马，号称一百万，浩浩荡荡直奔昆阳。

昆阳的汉军将士站在北门的城门楼子上往远处一望，只见没结没完的全是王莽的军队。有的人害怕了，准备散伙。刘秀对他们说："这是最紧要的关头，必须顶得住。咱们兵少粮少，全靠同心协力才行，要是见了敌人就散伙，那就什么都完了。大丈夫，英雄汉，万万不能灭自己的志气。"他把怎么到外面去调军队，怎么布阵怎么打，跟大伙儿说了一遍。将士们这才安定下来，愿意听他的指挥。昆阳城里当时只有八九千人，王寻、王邑的头一批人马就有十万。刘秀请王凤和王常只守不战。自己带着李轶他们十三个人骑上快马，趁着黑夜冲出南门，往定陵和郾城去调兵。昆阳城虽然不大，城墙可又高又结实，王寻、王邑一时打不进去。

这时候，刘縯已经把宛县打下来了。刘秀可还没得到信儿。他到了定陵和郾城，要把这两个地方的兵马都调到昆阳去，暂时放弃这两个城。将士们可不大愿意。刘秀就对他们说："现在咱们到昆阳去，把所有的人马都用上，打败了敌人，就可以立大功，成大事。要是让敌人打过来，咱们打了败仗，连命都保不住呐！大丈夫做事，得站得高，看得远。"为了鼓舞士气，他虽然还没得到刘縯那边的信儿，却故意说："宛县已经打下了，大司徒的大军就快到了，还怕什么呐？"将士们这才勇气百倍，放弃了定陵和郾城，跟着刘秀直奔昆阳。

刘秀带着步兵和骑兵一千多人作先锋。到了离王寻、王邑的大营四五里地，他们布置了阵势。王寻和王邑一瞧，前面才这么一丁点儿人，只派了几千士兵去对敌。刘秀突然冲过去，一连杀了几个敌人。将士们见了，高兴得直蹦。他们说："刘将军先前碰到小队的敌人，好像胆儿挺小似的，今儿见了强大的敌人，就这么勇敢，真怪！他还打头呐！来呀，咱们大伙儿冲啊！"这一来，汉兵一个抵得上敌人十个。王寻、王邑的兵连着往后退。汉军赶上来，杀了上千的人。刘秀带着敢死队直冲过去，专打中军大营。王寻、王邑自己带着一万兵马跟刘秀的三千人交战，还真打不过，不一会儿就乱了队伍。各地征调来的兵马各守各的阵营，互不相救。汉兵越打越有劲儿。王寻想显点本领，还要往前冲。汉兵知道他是大将，立刻把他围上，乱砍，乱刺，结果了他的性命。

王邑瞧见王寻被杀，慌忙逃跑。城里王凤、王常他们一瞧城外打赢了，开了城门打出来。两面夹攻，喊声震动了天地。王莽的大军听到主将被杀，副将逃了，全都慌了神，乱奔乱跑。自相践踏，沿路一百多里地都有尸首倒着。

汉兵正杀得高兴，忽然瞧见一个怪人带着一群猛兽冲过来了。那个怪人叫巨毋霸，据说有一丈来高，身子像公牛那么粗。这么笨拙的巨人有什么用呐？他可有一种特别的本领，能够训练老虎、豹、犀牛、大象。王莽拜他为校尉，让他带着几只猛兽和一批扮作猛兽的士兵出来助威。汉兵哪儿见过虎豹出来打仗的，只好躲开了。没想六月的天气变化无常，突然"哗喇喇"一

声响雷，接着，大豆似的雨点像天塌了似地往下直倒。那些身上涂着颜色扮作老虎和豹的士兵给浇得直打哆嗦，不但不往前冲，反倒窜到后面去了，巨毋霸也只好往后退。一群猛兽净向巨毋霸挤过去，挤得他立不住脚，仰面一倒，头重脚轻，就这么掉在河里，说什么也起不来了。

汉军一看可高兴了。他们认为这是天帮助他们消灭敌人，个顶个都生龙活虎似的直往前追。王莽的大军好像决了口子的大水向后倒去，把人都挤到河里，淹死了一万多人，连那些猛兽也都夹在里面。各地征调来的兵将也都四散逃跑了。

昆阳大战消灭了王莽的主力。这个消息传到各地，鼓舞了各地起义军。有不少人杀了当地的官府，自称为将军，用汉朝的年号，等待着刘家皇帝的命令。

可就在这个时候，刘家皇帝与刘家将军发生了矛盾。宛县和昆阳打了胜仗，刘縯哥儿俩的名声大了起来，更始皇帝刘玄对他们有点儿不放心，他们手下的人也不把刘玄放在眼里。有一个叫刘稷（jì）的，是刘縯的心腹，就这样说刘玄："他算老几？哪儿轮得到他？"话传到刘玄耳朵里，他就把刘稷拿下，说他违抗命令，定了死罪。刘縯急忙跑来替刘稷争理，刘玄没主意了。站在一旁的朱鲔大喝一声说："刘稷对抗命令，还不是刘縯主使的吗？他也不能免罪！"刘玄把脑袋一顿，使出了做皇帝的威风，把刘縯和刘稷一块儿都杀了。

刘秀这时候不在宛县。他听到哥哥给杀了，痛哭了一场。然后擦干眼泪跑到宛县来见刘玄，承认自己的不是，向刘玄表示忠心。人家问起昆阳大战的情形，他说："这全是皇上的洪福和将士们的功劳，我不过跟着大家沾了些光。"他也不给他哥哥穿孝，有说有笑的，完全像没事人一样。刘玄反倒觉得过意不去，拜他为破虏大将军，封为武信侯。

死守黄金

　　刘玄派上公王匡去进攻洛阳，大将军申屠建和李松去进攻武关（在陕西省商南县西北）。王莽急得要命，他核计一下，能打仗的一些将军大多还在塞外对付匈奴。一时撤不回来，留在国内的主力已经给消灭了。主要的地盘只剩下长安和洛阳两个大城，这怎么能叫他不着急呐？他临时拜了几个将军，把囚犯都放出来作为士兵，凑成了一支军队，往东去抵抗汉兵。

　　这些临时凑合起来的士兵，刚一出发，有的就逃散了。剩下的好容易到了战场，勉勉强强跟汉兵打了一仗，几个将军死的死，逃的逃，士兵大多数不愿卖命，都一哄而散。

　　弘农（在河南省灵宝县南）郡长王宪干脆投降了汉军，做了校尉。这一来，有不少豪强大族也都起兵，自称为汉朝的将军，跟着王宪去打长安。他们到了长安城下，争着要进城去，有的就在城外放起火来。城外烧着大火，照到城里，城里也有人放起火来，火烧到未央宫，众人闹闹嚷嚷地都拥了进去。王宪他们也进了宫。新朝的将军王邑、王林、王巡这几个王家将带着宫里的士兵四面抵抗。

　　王莽穿着礼服，手里拿着一把短刀，坐在宣室前殿，死守着六十万斤黄金和别的珍宝。朝廷上的公卿大臣跟着他在一起。王莽自己安慰自己说："天理在我这儿。汉兵能把我怎么样？"别的人又是流泪，又是叹气，心里只想着："什么天理不天理，能不死就好！"这么挨过了一个晚上。第二天，火烧到前殿来了。大臣们扶着王莽离开了六十万斤黄金，躲到太液池里的一座楼台上去。那楼台叫"渐台"，四面都是水，只有一座桥可通，火是烧不到这儿来的。在渐台陪着王莽的还有一千多人。

王邑、王林、王巡他们日夜不停抵抗，累得有气无力，手底下的士兵死的死，伤的伤，差不多全完了。王邑他们听说王莽在渐台，就到水池子那边去保护他。可是士兵们没了，光杆儿将军双拳难敌对手，全给杀了。渐台周围全是人，围了好几层。台上的将士还往下射箭，大伙儿没法上去。直到台上的箭射完了，下面的人才拥上去。长枪、短刀、铁耙、木棍都使上，肉搏开始了。

太阳下山的时候，众人进了台上的内室，保护着王莽的几个大臣都死了。大家拥上去，咔嚓一刀，就把王莽杀了。王莽死的时候，头发和胡子都是半截黑半截白的。有个校尉割下王莽的脑袋，拿去向王宪报功。王宪又找到了那颗镶了一只角的玉玺。他就不再做校尉，自封为"汉大将军"。拥到长安城里的几十万人没有头儿，一听说王宪是汉大将军，就都算是他的部下。王宪的势力突然大了起来。

王宪把自己的一部分士兵留在宫里作为卫队，吩咐别的将士和小兵都驻扎在外边。他拿着玉玺，穿上王莽穿过的龙袍，戴上王莽戴过的冠冕，把王莽的后宫都收下来作为自己的后宫。他就这么得意忘形地做起皇帝来了。

过了两天，刘玄派来的申屠建和李松到了。他们听说玉玺在王宪那儿，就向他要，他可不肯给。他们查出王宪使用天子的旗子和车马，就把他拿来办罪，收了玉玺，向刘玄报告接收长安的情况。

刘玄觉得王莽一死，全国没有第二个皇帝，他的江山可以坐定了。小小的宛县不能作为都城，他就打算迁都到长安去。这时候，王匡已经打下了洛阳。还把那个跟他同名同姓、伤了一条腿的太师王匡也杀了。刘玄手下的将士都是关东人，一听到洛阳也给打下了，那份高兴就不用提了。他们说："长安太远，不如迁都到洛阳吧。"刘玄本来没有一定的主张，就听了将士们的话，决定迁都洛阳。可是洛阳刚打过仗，宫殿破坏得实在太厉害，得先修理一下才好。刘玄不敢重用刘秀，不让他再去打仗，这修理房子的碎烦事儿妨让他去办。他就派刘秀为司隶校尉，带着一些人到洛阳去修理宫殿。

刘秀到了洛阳，还是像在宛县那样，做事很有精神，天天有说有笑的。可是到了晚上，他喜欢清静，一个人一间屋子，不让别人进去，只有冯异是个例外。这个冯异原是新朝的一个将军，昆阳大战以后，归附了刘秀。刘秀看他能力出众，把他当做心腹。有一天冯异发现刘秀的枕头湿着一大片，就猜出了刘秀的心事，他苦苦地劝告刘秀别太伤心。刘秀急忙摆手，对他说："请你千万别说出去！"

新朝被推翻了，各地方的人马互相攻打，各抢各的地盘，害得老百姓叫苦连天。这么乱糟糟的天下怎么能够统一起来呐？刘玄本来是个傀儡皇帝，也没有平定天下的才干。刘秀是他的臣下，无权无势，能干出什么大事来呐？正在这时候，有个太学生来找刘秀，说愿意帮助他平定天下。这个太学生是谁呐？他真有这个本领吗？

豆粥麦饭

那个太学生名叫邓禹，南阳新野人。他跟刘秀在长安同过学，比刘秀小七岁。两个人挺合得来，成了知心朋友。邓禹听说刘秀在洛阳修理宫殿，就赶去找他。到了洛阳，才知道刘秀已经走了。

原来，刘玄要安抚河北的各路兵马，把这个差使交给了刘秀。刘秀拿着大司马的节杖，到河北去了。邓禹就沿路追上去，一直追到邺城（在河南省临漳县西），才把刘秀追上。

同学好友见了面，那份高兴劲儿就不用提了。刘秀说："老朋友跑了这么多的路赶来，为的什么呀？"邓禹说："我想替您出点力，将来也好留个名。"刘秀就留着他在一间屋子里睡。邓禹挺正经地说："现在山东还没安定下来，像赤眉那样各占地盘的多得很。刘玄庸庸碌碌，自己没有主张。他手底下的将士光知道贪图财帛，没有远大的志向。你这么下去，也成不了大事。依我说，不如搜罗人才，争取民心，创立高帝的事业。"刘秀一听，这话正说到了他的心眼里。第二天，他就吩咐手下人称邓禹为邓将军。还叫邓禹跟他住在一个屋子里，有事情好一块儿商量。他们两个的心思给另一个有心人琢磨出来了。那个人就是冯异。他也对刘秀说："人心思汉，已经不是一天了。现在刘玄的将士们乱打一气，老百姓很失望。一个人挨饿挨得久了，有点儿东西吃，就够满足的了。应当赶快派人分头到各地去给老百姓伸冤，宣扬汉家的恩德。"刘秀听了很同意，就让冯异他们到附近各县去考察官吏，安

◎林汉达历史故事·东汉

DONGHANGUSHI

抚百姓，释放受冤的囚犯。自己带着部下，往北到了邯郸。

邯郸有个汉朝宗室的子弟叫刘林，他见到刘秀，向他献计说："赤眉在河东（黄河东边），只要掘开了河堤，把水灌到河东去，赤眉非淹死不可。"刘秀一想，掘开了河堤，老百姓不也得遭殃吗？用这种办法，怎么能夺取天下呐？就没去理他。过了几天，刘秀又带着人到真定（在河北省正定县）去了。

刘林碰了一鼻子灰，越想越别扭，就打算自己起兵。他找了一个算卦先生，叫王郎，请他算个卦，看是凶是吉。王郎看刘林撅着嘴，知道他有心事，就细细盘问起来。刘林把自己的打算说了出来。王郎说："我有个主意。头些日子长安有个人自称是汉成帝的儿子，名叫子舆，王莽说他是冒名顶替，把他杀了。你不妨冒充刘子舆，就可以号召天下了。"刘林说："你自己去冒充，不是一样吗？我来帮你登基。"王郎一听甭提多高兴了，连忙说："行！咱们说在头里，有福同享，有祸同当。"这么着，两人就对天明了誓。

刘林联络了一些人，打起刘子舆的幌子，没几天工夫，召集了好几千人。他们就立王郎为天子，刘林为丞相，向邻近的州郡发了通告。赵国以北，辽东以西，许多州县都起来响应，王郎的势力就突然强大起来。刘林还出了十万户的赏格，要捉拿刘秀。

刘秀知道自己力量单薄，没法跟王郎拼，回去的道又给截断了，只好再往北走，到了蓟州（在河北省蓟县，蓟 jì）。蓟州有个叫刘接的，他贪图那十万户的赏格，起兵响应王郎，要捉拿刘秀。刘秀他们慌慌忙忙跑出了南门，往饶阳（在河北省安平县东）方面走去。走到半路，大伙儿都饿得肚子咕咕直叫。冯异向老百姓讨来半碗豆粥，送到刘秀跟前。刘秀捧起碗来，几口就吞下去了，好像从来没吃过这么香的东西。好容易磨蹭到饶阳，大伙儿饿得头昏眼花，都支持不住了。

刘秀看到路边有一座传舍（就是驿站），有了主意，就叫大伙儿大模大样地走进去，冒充是王郎的使者，吩咐传舍里的官员赶快摆饭。饭摆上了，随从的人一瞧见有了吃的，大伙儿就抢开了。传舍里的官儿起了疑，心想："哪儿有这号使者？怕是冒充的吧？"他就一边敲鼓一边喊："邯郸将军到了。"大伙儿一听，脸都白了。刘秀一想，逃也逃不了啦，索性壮着胆子对那个官员说："请邯郸将军进来见我！"那个官员哪儿去找邯郸将军呐，只好糊里糊涂敷衍了几句了事。刘秀他们吃完了饭，又大模大样地离开了传舍。

刘秀听说信都（在河北省冀县东北）太守不肯投降王郎，就向信都方面走去。

他们一路跑到南宫（在河北省新河县东南），下起大雨来，衣服全湿了。刚巧瞧见道旁有个空的传舍，就躲进去避一避。冯异抱来了一大捆柴火，又找吃的去了。邓禹见屋里有现成的灶，就忙着生起火来。一会儿，火着旺了，刘秀给大伙儿烘衣服。冯异找来了一点麦子，大伙儿七手八脚地煮成麦饭，半生不熟地就这么吃了点儿。又歇了一会儿，雨停了，他们赶紧动身，像难民似地又走了一百来里地，才到了信都。信都太守任光跟和城太守（和城，是以前巨鹿郡的一部分）邳彤（pī tóng）都不肯投降王郎。他们也有点军队，可是已经成了孤军，正担心着呐，一听到刘秀他们到了，不由得都高兴起来。

　　任光和邳彤把刘秀他们接进信都，大伙儿商议怎样对付王郎。邳彤说："只要大司马登高一呼，召集信都、和城两郡各县的兵马，一定能打败王郎。"

　　刘秀就用大司马的名义，召集人马，果然得到了四千精兵。任光发出通告说："王郎冒充刘氏宗室，诱惑人民，大逆不道。大司马刘公从东方调百万大军前来征伐。一切军民人等，反正的，既往不咎；抗拒的，决不宽容！"他派骑兵把这个通告分发到巨鹿和附近各地。老百姓看到了通告，纷纷议论，把消息越传越远，王郎手下的兵将听了都害怕起来，好像大祸临头似的。

　　刘秀带着四千精兵，又打下了邻近几个县城，声势慢慢地大起来。没过多少日子，又有不少地方首领起兵来投靠他。刘秀慷慨得很，不但封他们为将军，有的还封为列侯。这么七拼八凑，他总算有了十几万人马，他就率领这些人马去进攻巨鹿。

　　正好，刘玄也派兵来攻打王郎。两路大军联合起来，连着攻打了一个多月，还不能把巨鹿城打下来。有几个将领说："咱们何必在这儿多耗日子呐？不如直接去攻打邯郸。打下了邯郸，杀了王郎，还怕巨鹿不投降么？"刘秀采纳了他们的意见，留下一部分人马继续围攻巨鹿，自己带领着大军去攻打邯郸，接连打了几个胜仗。王郎的部下支持不住，开了城门，把汉军迎进城去。刘秀占领了邯郸，杀了王郎，刘林可逃得不知去向了。

　　刘秀进了邯郸宫殿，检点公文，都是各郡县的官吏和大户人家跟王郎来往的文书，其中大多是奉承王郎，说刘秀坏话的。刘秀特意在将士们面前把这些文书全都烧了。有人说："哎呀，反对咱们的人都在这里头呐。现在连人名都查不到了。"刘秀说："烧了这些文书，好让人家安心！"大伙儿这才明白过来，全都佩服刘秀胸怀开阔。

刘秀的队伍越来越大。他重新编排人马，整顿队伍，让士兵们随个人的心愿分配到各营里去。许多士兵都说："愿意拨在大树将军的部下。"刘秀奇怪了，这"大树将军"到底是谁呀？一打听，原来是冯异的外号。

冯异从来不说自己的长处，上阵打仗，他总跑在头里。到了休息的时候，将军们免不了要聊聊打仗的经过。他们团团坐在一起，你一言，我一语，说个没完。有时候为了争功，甚至各不相让，闹得脸红脖子粗。每到这时候，冯异就偷偷地溜了，一个人坐在大树底下躲着。因为他不只一次地躲在大树底下，军队里就都称他为"大树将军"。刘秀听了士兵们的话，对"大树将军"冯异就更加尊敬了。

刘秀打下了邯郸，消灭了王郎。刘玄就派使者来见刘秀，封他为萧王，还吩咐他撤兵回去。刘秀手下的将领听说了，都急得什么似的，跑来对刘秀说："刘玄迁都到了长安，只知道享乐。再说全国各处起义的人马，有几万的，有十几万的，甚至有几十万的，刘玄压根儿没法对付他们，他长不了。大王现在平定了王郎，只要登高一呼，准能天下响应。为什么把天下让给别人呐？大王千万不可听他的呀！"刘秀听了摇摇手，叫他们别再往下说。

刘秀出去对刘玄的使者说："王郎虽然灭了，河北还没平定，我一时还不能动身。"他就留在河北，调集各郡的兵马，打败了另一支农民军铜马，把铜马的人都收编进来。这么一来，刘秀的军队就扩充到几十万，关西一带就管刘秀叫"铜马皇帝"，都不听更始皇帝刘玄的了。

刘秀到了河内郡（在河南省武陟、沁阳一带），正要向北去平定燕、赵。不想这个时候，有消息传来，说刘玄和赤眉军又打起来了。原来这赤眉军大都是朴实的农民，他们是没有活路了才起来造反的，并不想争什么地盘，他们的首领樊崇压根儿没有做皇帝的打算。因此，一听到刘玄做了皇帝，恢复了汉朝，他们就按兵不动了。刘玄从宛县迁都到洛阳的时候，派使者去叫赤眉归顺。樊崇就带着二十几个首领跟着使者到了洛阳。刘玄给樊崇封了个挂名儿的列侯，又不给二十几万赤眉军发饷。樊崇他们大失所望，找个机会逃了回去。他们担心要再这么下去必然军心涣散，因此决定跟刘玄干一下子。

◎林汉达历史故事·东汉

公元24年二月，刘玄迁都到长安。樊崇率领二十万大军，往西攻入了函谷关（在河南省灵宝县南）。刘秀一得到消息，就知道刘玄敌不过樊崇，长安一定保不住，就打算派邓禹往西边去打樊崇。可是刘玄的大将朱鲔还在洛阳，他是刘秀的死对头，要是知道河内空虚，随时可以打过来。刘秀自己又想去平定燕、赵，那么叫谁把守河内呐？他就问邓禹，邓禹说："从前高帝信任萧何，嘱咐他守住关中，供应军粮，高祖才能够一心一意地去收服山东，终于成了大事。河内地势险要，北通上党，南近洛阳，要挑个文武全才的人守在这儿，再没有比寇恂（xún）更合适的了。"

刘秀听了邓禹的话，拜寇恂为河内太守，又拜大树将军冯异为孟津将军，防备着洛阳那边。布置完了，他就分给邓禹三万兵马，叫他进关去攻打赤眉军，自己带着大军去平定燕、赵。

寇恂留在河内，吩咐各县练兵，尤其是练习射箭。他做了一百多万支箭，养了两千匹马，征集了四百万斛（hú，一种量器）军粮，源源不绝地运到前方去。镇守洛阳的朱鲔打听到刘秀带着大军往北去了，果然趁着机会来进攻河内，正好碰上孟津将军冯异，吃了个大败仗。冯异和寇恂两路兵马合在一起，渡过河去，一直追到洛阳。朱鲔把城门关得紧紧的，不敢出来对敌。冯异和寇恂带着大军绕洛阳城耀武扬威地走了一圈。打这儿起，洛阳大起恐慌，白天也关着城门。

寇恂、冯异派人向刘秀去报告，刘秀挺满意，将士们也都进来向他贺喜，要他趁此机会当皇帝。刘秀听了直摇脑袋。有个将军理直气壮地说："大王虚心退让，好是好，可是大王就不顾宗庙社稷了吗？确定了名分，才好商议征伐大事。要不然，谁是主、谁是贼，谁应当征伐谁呐？"刘秀一看，原来是前锋将军马武。马武本来是绿林的一个首领，也是南阳人。刘秀不但信任他，而且跟他很亲热。可是刘秀觉得还没到时候，不肯答应。他说："将军怎么说出这种话来？论罪名可以砍头的呐。"马武说："将士们都这么说。"刘秀说："那你就去告诉将士们，快别再这么说。"

刘秀没当皇帝，别的地方有好几个人已经自称皇帝了。势力最大的一个，是成都的公孙述。

刘缤、刘秀在南阳起义的时候，公孙述就在成都招募了几万兵马占据了一大块地盘。后来刘玄派兵去攻打，被公孙述打得大败。打这儿起，公孙述的名声更大了。他就自立为蜀王，当地的老百姓和邻近的部族全都归附了他。他的部下劝他当皇帝，他说："做帝王要有天命的，我怎么敢承当呐？"他的部下李熊说："天命没有一定。现在民心归向大王，大王又有能力，还有什么可迟疑的呐？"公孙述也就不再推让，自己当了皇帝，拜李熊为大司徒，自己的兄弟公孙光为大司马，公孙恢为大司空。关中起兵的豪强都来归附公孙述。这么一来，公孙述就有了几十万士兵。

公孙述做了皇帝，消息一传开，可叫跟着刘秀的那一班人着急起来。他们又去请求刘秀即位。刘秀把冯异找来，问他的主意。冯异说："刘玄的几个重要的大臣都跑了，他一定失败。天下没有主儿，人心惶惶。大汉的宗庙社稷还要不要，就在于大王了。大王应当接受大家的意见。"

公元25年六月，刘秀当了皇帝，就是后来的汉光武。那时候他三十一岁。汉光武打发使者拿着节杖和诏书到邓禹那里，拜他为大司徒。

这时候，赤眉军早已进了武关，长安已经是"火烧眉毛"，十分危急了。

攻占两京

赤眉军分成两路向西进攻长安。刘玄派兵去抵抗，接连打了几个败仗，急得他不知道怎么办才好。张卬、王匡他们就私下商议说："赤眉说到就到，咱们没法在这儿下去了。不如趁早收拾些财物，回南阳去再找路子。要是南阳也守不住，咱们就到大湖里去做大王！"他们就派人去见刘玄，向他说了这个主意。刘玄可不愿意回南阳去，没答应。张卬就想着发兵强迫刘玄离开长安。刘玄得到消息，先下手为强，发兵去打张卬。张卬和王匡只好一块儿逃走了，南方起义军就这么互相火并起来。这时候，赤眉军已经到了长安城下。

赤眉军看着刘玄不行了，想另外立一个姓刘的人做皇帝。队伍里姓刘的人还真不少，一找就找出七十多个，其中有个刘盆子，据说跟皇室的血统最近。他才十五岁，是给樊崇的部下看牛的，大伙儿都管他叫牛倌儿。樊崇就决定立他为天子。大伙儿让刘盆子换身衣服。他不依，还哭着不走。结果只好让他披着头发、光着脚，破破烂烂地去见樊崇。刘盆子见了樊崇，不敢再使性，就穿上了小皇帝的衣服，戴上了小皇帝的冠冕。樊崇领着部下，共同立刘盆子为天子。文武百官向他朝见，窘得他不知道该怎么应付。一退了朝，他赶紧换上了原来的衣服，溜到外面，要跟别的牛倌在一块儿。大伙儿只好把他留在屋子里，吩咐手下人别让他随便出去。

赤眉军就打着汉天子刘盆子的旗号，来征伐刘玄。刚巧张卬和王匡从长安逃出来。他们投降了赤眉军，回过头来把赤眉军领进了长安城。刘玄急得没法可使，带着妻子和宫女们从北门逃了出去。他跑到了一个驿舍里，正想歇口气儿，赤眉军的使者已经来到跟前，传着上面的命令，叫刘玄投降。使者又说，现在投降，还可以封为长沙王；过了二十天，他要投降也不允许了。刘玄只好跟着使者到长乐宫去见刘盆子和樊崇。他光着上身，向刘盆子奉上了玉玺。刘盆子当然只听樊崇的，封刘玄为长沙王，让他住在长安。

汉光武这时候正在攻打洛阳。把朱鲔困在洛阳，有好几个月了，可还是打不下来。现在听说刘玄完了，就派人劝朱鲔投降。朱鲔这时候内无粮草，外无救兵，只好带着队伍出来投降。汉光武让他做了将军，还封为侯。打下了洛阳，汉光武就把洛阳作为京都（因为长安在西边，洛阳在东边，所以前汉也叫西汉，后汉也叫东汉）。

汉光武住在洛阳很不放心。各地方自立为王，自立为帝的人还真不少，占据一块小地方做土皇帝的，那就更多了。可他最不放心的，还是赤眉军这一路。赤眉军占领着长安，是个大威胁，就不知道邓禹打的什么主意，为什么还不攻打长安呐？

邓禹不但不攻打长安，反倒带着军队越走越远了。他对将士们说："咱们孤军深入，前面没有给养，后面运粮困难。赤眉刚进长安，正在势头上，马上和他们交战，准得吃亏。可他们人多粮少，在长安呆下去，迟早是要变动的。我探听到上郡、北地、安定三个郡有的是粮食、牲口。咱们不如先拿下这三个郡，给养就不用愁了。等到长安乱了，再打不迟。"

邓禹带着人马，绕着大弯儿由东往北，转西向南，开走了。这时候，赤眉军在长安城里，把粮食吃光了，再也呆不下去了。可他们还能到哪儿去呐？往北，邓禹的军队扼住了北上的道儿；往东，洛阳已经成了汉光武的大本营；剩下的只有往西一条路了。樊崇带着几十万大军向西流亡，没想到那些地方跟长安也差不了多少，粮食牲口早给邓禹的军队搜刮去了。赤眉军只好再往西走，谁知道祸不单行，碰到了暴风雪，冻死了不少人马。樊崇万不得已，只好折回长安。

这时候，邓禹的兵马已经进了长安。赤眉军也不去攻城，就刨起汉朝历代帝王和皇后、妃子的坟来，那里面埋着不少金银、珠宝、玉器什么的。邓禹立刻发兵去攻打，想不到打了个败仗，连长安也丢了，慌忙退到高陵。他怕军中粮草不够，只好向汉光武求救。

汉光武连忙派冯异带着一队兵马去代替邓禹。他嘱咐冯异说："长安一带老百姓已经穷到了极点，将军这次去征伐，要是赤眉肯投降，就让士兵都回家去种地，最要紧的是安定人心，不要随便杀人。"冯异答应着，带着军队往西去了。汉光武又给邓禹下诏书说："千万别死拼。赤眉没有粮食，一定会到东边来的。我这儿已经准备好了，你赶快回来。"

冯异到了长安，把人马埋伏好，就向赤眉军下战书。赤眉军不知道这是诡计，一上阵就中了埋伏，拼死拼活打了一天，死伤了一大半。冯异让一些士兵也在眉毛上涂上红颜色，打扮成赤眉的士兵，混进赤眉的队伍。赤眉军正进退两难，冯异叫将士们大叫大喊："赶快投降！投降不杀！"那些假装赤眉的士兵马上响应："咱们投降！咱们投降！"赤眉军一下子军心大乱，被解除了武装。

剩下的十几万赤眉军由樊崇带着，向东开走了。冯异又火速派人报告给汉光武。汉光武连忙率领大军布置好埋伏，等赤眉军一过来，就把他们团团围住。樊崇没法走脱，只好派人向汉光武求和。汉光武下令让他们投降，樊崇就带着刘盆子去见汉光武，奉上了玉玺。赤眉的将士也交出了铠甲和兵器。

汉光武吩咐赶紧做饭，做菜，让十多万赤眉兵吃一顿好的。接着，把樊崇他们带到了洛阳，给他们官做。可这些人是赤眉的首领，十多万赤眉兵还是向着他们呐。汉光武嘴上不说，心里总觉得留着他们不妥当。没到几个月工夫，就拿谋反的罪名把他们杀了。

推翻新朝的绿林、赤眉这两支最大的农民起义军，到这时候，都给汉光武收拾了。可他还是不放心，因为各地自称王、自称帝的还有不少，天下正乱着呐。这里边势力最大的，要数陇西的隗嚣（wěi xiāo），河西的窦融，蜀地的公孙述。

得陇望蜀

公元28年，隗嚣派马援为使者，去联络公孙述。马援到了公孙述那里，公孙述让文武百官列队欢迎他，排场挺讲究，仪式挺隆重。公孙述跟马援没讲几句话，就叫手下人拿出衣帽来，要封马援做大将军。他大模大样地坐着，等候马援谢恩。没想到马援不吃这一套，婉言推辞了。

马援回去，对隗嚣说："公孙述自高自大，就像只井底的蛤蟆，咱们不如向着东方吧。"隗嚣又派他去洛阳见汉光武。

汉光武听说马援到了，穿着便衣，也不带卫士，就在宫殿里欢迎马援。他带着笑脸对马援说："您在两个皇帝之间奔波，我真觉得有点过意不去。"马援说："天下还没定下来，不但做君王的要挑选臣下，做臣下的也得挑选君王呐。"汉光武猜不透是什么意思，乐了乐，不说话。马援接着说："我跟公孙述是同乡，从小挺要好。我去见他，他布置了武士，还让我一步一步走上台阶去跟他相见。今儿我刚到这儿，您就接见我，好像见着老朋友似的。您怎么知道我不是刺客呐？"汉光武笑着说："您不是刺客，可能是说客（说shuì）。"马援说："如今天下乱糟糟的，称王称帝的不少。今儿见您这么豪爽，真像见到了高帝一样。"两个人越谈越投机。马援心里打定了主意，要劝隗嚣归顺汉光武。汉光武也打发来歙（shè）送马援回去。隗嚣按规矩挺客气地招待来歙。来歙劝隗嚣上洛阳去见汉光武，还说只要他肯去一遭，一定能得到很高的爵位。隗嚣一想，这不是叫他当刘秀的臣下了吗？可不能

干，就借个理由儿推辞了。

　　隗嚣送走了来歙，就把班彪找来，跟他谈论起秦汉兴亡的历史。班彪是个很有学问的人，一听就明白了，隗嚣是借古论今：姓刘的既然可以代替秦朝做皇帝，不是姓刘的为什么不能代替汉朝做皇帝呐？班彪心里想，隗嚣可不是汉光武的对手，就劝他不要和汉光武去争天下。隗嚣一心想当皇帝，怎

么肯听他的劝告呐？班彪再呆下去也没有滋味儿，就找个来由儿辞了职。

河西的窦融和班彪是同乡，他听说班彪离开了隗嚣，就打发使者把他接了来，挺虚心地向他请教。班彪劝他去归顺汉光武。窦融早就听说汉光武这个人挺能容纳有本事的人，只因为河西离着洛阳路远，没能和他来往。这回他就听了班彪的话，写了一个奏章，打发使者上洛阳去见汉光武。汉光武立刻拜窦融为凉州牧（牧就是州长），还给窦融写了一封信。信里面说："现在益州（就是蜀）有公孙述，天水有隗嚣，将军的地位举足轻重，帮谁，谁的力量就大。如今有人主张分割天下，各自为王，要知道中国的土地即使可以分割，中国的人是不能分割的。将军能够上为国家出力，下为百姓着想，我非常感激。"

汉光武安定了河西这一头，又派来歙去见隗嚣，请他一起去征讨西蜀的公孙述，还答应成功之后分给他土地。隗嚣当然不干，他心里明白，公孙述要是给消灭了，自己在陇西还站得住脚吗？他对来歙说："我力量薄弱，还要防备着北方的匈奴，哪儿能分出兵来去打蜀地呐？"可是汉光武的势力越来越大，他不能不陪个小心，就打发他儿子跟来歙去洛阳，还叫马援全家也跟了去。

公元30年，汉光武又写信给隗嚣和公孙述，要他们归附汉朝。公孙述不但没回答他，还发兵进攻南郡。汉光武要试试隗嚣是不是向着公孙述，故意请他一同去攻打蜀地。隗嚣耍了个滑头，回答说："公孙述性子急躁，弄得上下不和，不如等他恶贯满盈了，再去征伐。"汉光武心里明白了，他就亲自到长安，发兵向成都进攻，暗地里防着隗嚣。隗嚣果然沉不住气了，他派兵占领了陇山底下的几个城，还发兵进攻关中，正好碰上征西大将军冯异，吃了个大败仗。

隗嚣正在为难，马援来信了，责备他不该反复无常，劝他及早回头，归附汉光武。隗嚣火儿了，调度人马，准备再跟汉兵交战。马援带着五千骑兵，在隗嚣的队伍中来来往往，劝将士们归附汉朝，就有一些将士听了他的话，离开了隗嚣。隗嚣只好写信向汉光武求和。汉光武这会儿就不再那么客气了，回答说："空话我也听烦了，或是真心，或是假意，随你的便。"隗嚣知道汉光武已经看透了他，就投降了公孙述。公孙述封他为王，还派兵去帮他对抗汉光武。

公元32年，汉光武亲自带兵去征伐隗嚣。凉州牧窦融率领着好几万骑兵和步兵，来跟汉光武的大军会齐。汉兵的声势大，没费多大的力气就把隗嚣打败。隗嚣带着妻子逃到了西城（在甘肃省天水县南），公孙述派来的救兵逃到了上邽（在甘肃省天水县西南；邽guī）。汉光武再一次写信叫隗嚣投降，保他父子相会。隗嚣还是不降。汉光武就把他那个作抵押的儿子杀了，围住西城和上邽，吩咐凉州的人马回去，自己也回洛阳去了。

汉光武在路上给围攻西城和上邽的将军写了一封信，信上说："那两个城要是打下来了，你们马上带领兵马往南去征伐蜀地。人的毛病就在于不知足，我的毛病也在于'得陇望蜀'（平定了陇右，又希望去平定蜀地）。每发一回兵，我的头发胡须总是白了一些。可是不这么干，天下怎么能够统一呐？"

隗嚣给围困在西城里，他闷闷不乐，第二年就害病死了。他的部下立他的儿子隗纯为王，继续抵抗汉兵。又过了一年，隗纯投降了。可是大树将军冯异也病死在军营里。

陇右平定了，汉光武就集中兵力去对付蜀地。公元36年，汉军大破蜀兵，进攻成都，公孙述受了重伤死了，他手下的将领就献出成都，投降了。这么一来，汉光武得了陇又得了蜀，平定天下的心愿总算是实现了。

汉光武等到大军回来，就开了一个庆功大会，大封功臣。他想起当年汉高祖多么重视张良和萧何来的。可惜那个"赛萧何"寇恂已经在前一年死了。邓禹虽然抵不上张良，可是告诉汉光武怎样统一中原，随时劝他注重纪律，收拾民心的还是他。因此，汉光武把他当做第一号功臣，封为高密侯。别的功臣也都按照功劳大小，给他们不同的爵位和赏赐。已经死了的功臣，就封他们的子孙。

平定了陇、蜀，二十年来乱糟糟的中原又统一起来了。汉光武已经打败了所有的敌手，他打算把内政好好地整顿一番。

种地钓鱼

汉光武整顿内政是从两方面着手：一方面节省朝廷的开支，一方面减轻老百姓的负担。打了这么多年仗，各地人口减少。他就下了一道诏书，要按着实在的情形合并一些县，裁减一些官员，这么一来，人口不多的县合并了四百多个，十个官吏裁去了九个，只留下一个，公家的开支就大大地减少了。就在那一年年底，汉光武又下了一道诏书，说前几年军费大，田租一直是按产量的十分之一征收的，现在粮食凑合着有些积蓄了，从今年起恢复原来的制度，仍旧征收三十分之一，这么一来，大大减轻了老百姓的负担，汉光武的皇帝座位也就稳当了。

汉光武一面整顿内政，一面尽力搜罗人才。他打发使者到各地访问名士，邀请他们到朝廷里来做官。可有的名士有名士的怪脾气，他们愣不来。汉光武也有他的怪脾气，人家越不肯来，他越要人家来。

太原有个名士叫周党，禁不住使者的催促，只好坐着车马来了，他穿着旧衣服，戴着破头巾，到了朝堂上，气呼呼地往地下一趴，怎么也不肯磕头，更别说叫一声"皇上"了。汉光武请他做官，周党才不希罕做官呐。他说："我是个乡下老百姓，不懂朝政，放我回去吧！"大臣们见他这么傲慢，都很不服气。汉光武扭不过他，只好说："从古以来，就是多么贤明的君王，也有人不肯做他的宾客。周党不肯做官，各人有各人的心意，送他四十匹帛，让他回去种田吧！"

周党总算还来了一趟。还有的假装害病，干脆不来；有的隐姓埋名，逃到小村里去了。这些人中间，最出名的要数严光了。严光也叫严子陵，是会稽人，跟汉光武同过学，两个人挺要好。汉光武当了皇帝，就老想着他。可人家早就更姓改名隐居起来了，谁知道上哪儿去找呐？

　　汉光武就把严子陵的长相详详细细说了一遍，吩咐画工画一张像。画工按照汉光武说的，画了个大概，汉光武拿来一看，还真是个严子陵，就叫画工照样又画了几张，派人把这些画像分送到各郡县，叫官吏和老百姓寻找严子陵。隔了不多日子，齐国上书给汉光武，说那边有个男子披着羊皮，老在河岸上钓鱼，相貌有几分像，可不知道是不是他。汉光武马上派使者准备了上等的车马，到齐国去接他。

　　使者见了严子陵，奉上礼物，请他上车。严子陵推辞说：“你们看错了人啦。我是打鱼的，不是做官的。礼物拿回去，让我安安静静地过日子吧。”使者哪儿肯听，死气白赖地把他推上了车，飞一般地送到京都来了。汉光武特意准备了一所房子，派了好些手下人去伺候他，还亲自去看他。严子陵听说他来了，脸朝里躺在床上，只装不知道。汉光武走过去，摸摸他的肚子说：“喂，子陵，你怎么啦？不愿意帮帮我吗？”严子陵翻过身来，盯了他一眼，说：“各人有各人的心意，你逼我干么？”汉光武叹了一口气，说：“子陵，我真不能收服你吗？”严子陵听了，更不理睬他。

　　汉光武再三请他搬到宫里去，对他说：“朋友总还是朋友吧。”严子陵这才答应他到宫里去一趟。那天晚上，汉光武跟他睡在一起。严子陵故意打着呼噜，把大腿压在汉光武身上，汉光武就让他压着。第二天，汉光武问他：“我比从前怎么样？”严子陵回答说：“好像好一点。”汉光武乐得大笑起来，当时就要拜他为谏议大夫。严子陵怎么也不干。他说：“你让我走，咱们还是朋友；你逼着我，反倒伤了和气。”汉光武只好让他走了。

　　严子陵已经露了面，不必再更姓改名了。他就回到家乡富春山（也叫严陵山，在浙江省），种种地，钓钓鱼，过着悠闲的生活。富春山旁边就是富春江（这条江上游叫新安江，中游叫富春江，下游就是钱塘江），江上有个台，据说就是当年严子陵钓鱼的地方，所以称为严子陵钓台。

严子陵不愿意做官，他的清高的名望越来越大；汉光武能够这么低声下气地对待严子陵，他的谦恭下士的名望也越来越大。这一来，两个人的地位都抬高了。汉光武收服不了名士，可对那些有战功的将军们，倒很有一些办法。

宁死不屈

　　平定蜀地的大军回来那一年，汉光武已经四十三了。他二十八岁起兵，十五年当中，差不多没有一天不是过着军队的生活。豪强争夺地盘，打了这么多年仗，老百姓早已恨透了。汉光武决心让天下休养休养，不愿意再谈军事。有一天，皇太子刘疆（郭太后的儿子）问他怎么打仗，他趁着立过大功的将军们都在面前，回答儿子说："这种事，你还是不问的好。"

　　邓禹和贾复听出话里有话。如今天下平定，用不着打仗了，当然也用不着他们这些功臣们老带着大军住在京师里。他们就顺着汉光武的意思，请求让他们解散军队去研究学问。汉光武当时就答应了。别的功臣听说了，也纷纷交还了将军的大印，不再参与朝政，各回各的封地享受富贵去了。只有邓禹、李通、贾复三个，还留在朝廷里。汉光武对待功臣十分宽厚，即使犯了点小过失，他闭闭眼睛也就过去了。外地进贡来什么好东西，他经常分赐给功臣们，宁可自己没有。

　　帮汉光武打天下的功臣都回到封地去了，可皇亲国戚都住在洛阳。他们仗着皇帝的势力，要怎么着就怎么着，连他们的奴仆也在京城里横行不法。这叫当洛阳令的董宣很不好办。

　　汉光武有个姐姐叫湖阳公主。她有个奴仆在外头杀了人，躲进了公主府。董宣不能闯进公主府去找杀人犯，只好一天又一天地等着那个奴仆出来。

这一天，湖阳公主坐着马车出来了，跟着她的正是那个杀人犯，董宣就带着人上去逮。湖阳公主火儿了，说董宣不该拦住她的车。董宣拔出宝剑往地上一划，当面责备公主不该放纵奴仆杀人。他叫手下人把那个杀人犯拉下车来，宣布了罪状，当场就杀了。

湖阳公主哪儿受得了这个气，她赶进宫去，向汉光武哭哭啼啼诉说董宣怎样当众欺侮她。汉光武一听也火儿了，直怪董宣不该冲撞公主。他立刻召董宣进宫，吩咐左右拿着鞭子，要当着湖阳公主的面责打董宣，给姐姐出气。董宣说："用不着打，让我把话说完，我情愿死！"汉光武怒气冲冲地说："你还有什么说的！"董宣说："皇上是中兴之主，一向注重德行。如今皇上让长公主放纵奴仆杀人，怎么还能治理天下呐？用不着打我，我自杀就是了。"说着就挺着脑袋向柱子上撞，撞得头破血流。汉光武一听理在董宣那儿，急忙叫左右把他拉住，只要他向公主磕个头，赔个礼也就算了。董宣宁可砍脑袋，也不肯磕这个头。左右使劲把他的脑袋往下按，他两只手使劲撑住地，梗着脖子（梗 gěng）硬不让他们按下去。汉光武实在佩服董宣，只好放他走了。

湖阳公主还窝着一肚子火儿。她对汉光武说："你当年在家乡，也窝藏过犯死罪的人，官吏不敢上门来搜查。现在你做了天子，反倒对付不了一个小小的洛阳令了吗？"汉光武笑着说："就因为我做了天子，不能再那么干了。"他一面劝姐姐回去，一面称赞董宣，还赏了他三十万钱。董宣把这三十万钱都分给他的手下人。董宣不怕豪门贵族，威望震动了整个京师。从此以后，人们都称他做"强项令"（强项，就是硬脖子）。

这样执法如山的官吏，除了洛阳令董宣，还有个看城门的小官，叫郅恽（zhì yùn）。

有一天，汉光武带着人马出城去打猎，回来天早就黑了。他们来到东门外，城门已经关得严严实实。士兵们叫看城门的赶快开门。郅恽说："起了更就关城门，是皇上立下的规矩，谁也不能破这个例。"汉光武亲自来到城下，让郅恽看个明白，吩咐他快开城门。郅恽回答说："夜里看不清楚，不能随便开门。"汉光武碰了钉子，只好绕到东中门进了城。第二天，郅恽上书说："皇上跑到那么远的山林里去打猎，白天还不够，直到深夜才回来。这么下去，国家社稷怎么办？"汉光武看到了他的信，不能不说他讲得有理，就赏他一百匹布，还把那个管东中门的官员降了级。

过了四年（公元41年），汉光武把郭皇后废了，立阴丽华为皇后。太子刘疆知道自己很危险，不知道怎么办好，就去请教郅恽。郅恽劝他辞去太子，好好奉养母亲。刘疆听了他的话，总算没出什么事。过了几年，汉光武立阴丽华的儿子刘阳为皇太子，改名刘庄。

公元57年，汉光武六十三岁了。那年二月里，他害了重病，没有几天就死了。太子刘庄即位，就是汉明帝。

取经求佛

汉明帝登基后第七年，皇太后阴丽华害病去世。汉明帝是很爱他母亲的。他再也见不到母亲，心里没着没落地难受，晚上老睡不着觉。有一个晚上，他做了一个很奇怪的梦，梦里看见一个金人，头顶上有一圈白光，一闪一闪地在宫殿里摇晃着。汉明帝正要问他是谁，从哪儿来，那个金人忽然升到天空，往西去了。汉明帝吓了一跳，醒了，擦了擦眼睛一瞧，什么也没有。蜡台上那支蜡烛正一闪一闪地摇晃着。他对着蜡烛出了一回神，天也就亮了。

汉明帝把这个梦告诉了大臣们。大臣们都说不上那个头顶发光的金人是谁，更没法说这个梦是凶是吉。汉明帝说："听说西域有位神叫做'佛'。我梦见金人是往西去的，说不定就是佛。"博士傅毅说："皇上说得对！佛是西方的神，还有佛经呐。从前骠骑将军霍去病征伐匈奴，带回来休屠王供奉的金人，据说那个金人是从天竺传到休屠国去的。武帝把金人供养在甘泉宫里，后来打了这么多年仗，金人不知哪儿去了。皇上梦见的金人，准是天竺来的佛。"汉明帝听了这番话，觉得挺有趣儿，就派郎中蔡愔（yīn）和秦景往天竺去求佛经。

天竺也叫身毒（"身毒"念作"捐笃"），是佛教创始人释迦牟尼降生的地方（释迦牟尼生在尼泊尔，现在的尼泊尔和印度在古时候总称为天竺或身毒）。他生在公元前557年，本来是个小国的太子，从小在宫里享受荣华富贵。后来长大了，他看到衰老的人和害病的人那种苦恼劲儿，心里挺难受；更别提看到死人了。他觉得人生就是痛苦，还不如不生在世上倒好。要是没有"生"，就没有"老"，没有"病"，也没有"死"了。做了人，谁都逃不了生、老、病、死。他越想越不是味儿。有什么方法摆脱人生的痛苦呢？他下了决心，离开了王宫，到山里去静修。经过十六年的沉思默想，他创设了一个宗教，就是佛教，也叫释教。他宣传物质是暂时的，精神是不灭的；一切事物，有因必有果，所以行善作恶，都有报应；生物从人类到昆虫，都是平等的，所以做人要以慈悲为本，不可杀害一切有生命的东西。当时天竺还是奴隶社会，受苦的人多。许多人听了他的这些话，还居然都相信了，佛教就这样很快地传开了。释迦牟尼的弟子还把他的话记载下来，编成了十二部经典。

蔡愔和秦景经过了千山万水，历尽了千辛万苦，终于到了天竺国。天竺人很欢迎中国派

去的使者。蔡愔和秦景在天竺学会了当地的语言和文字。天竺有两位有学问的佛教徒，一个叫摄摩腾，一个叫竺法兰，也学会了中国的语言文字，帮助蔡愔和秦景懂得了一点佛教的道理。蔡愔和秦景邀请他们到中国来，他们同意了。这么着，蔡愔和秦景带着两位天竺僧人，还有一幅佛像，四十二章佛经，回到中国来了。

他们用一匹白马驮着佛经，好容易经过西域到了洛阳，安顿在东门外的鸿胪寺（招待外国人的宾馆）里。蔡愔和秦景朝见汉明帝，呈上了佛像和佛经，引见了两位僧人。

汉明帝看了佛像，也记不清是不是梦里看见的金人，翻了翻佛经，一个字也不认识。摄摩腾和竺法兰给他讲了一段，他也听不明白，只是跟着点头。他吩咐人修理鸿胪寺，把佛像供在里面，请两位天竺僧人主持佛教的仪式。那匹驮佛经的白马也养在里面，鸿胪寺就称为白马寺。

汉明帝听不懂

佛经，王公大臣也不相信佛教。大伙儿只把白马寺里的佛像、佛经和两位僧人当做外国传来的新鲜玩艺儿，觉得好玩儿就去看看，谁也不怎么重视。只有楚王刘英特别感兴趣，他派使者来到洛阳，向两位僧人请教。两位僧人就画了一幅佛像，抄了一章佛经，交给了使者，还告诉他怎么样供佛，怎么样礼拜，怎么样祈祷。使者回到楚国，照样说了一遍。

刘英就在宫里把佛像供在宫里，早晚礼拜祷告，求佛祖保佑他"逢凶化吉、遇难呈祥"。他打着信佛的幌子结交方士，刻制图文作为"符命"，说自己应该做皇帝。刘英这里还没动起来，早有人向汉明帝告发了，说楚王刘英谋反，应当处死。汉明帝派人调查属实，就废了刘英的爵位。刘英只好自杀，佛祖也救不了他的命。

汉明帝供奉佛像的事儿，一些儒生本来就不赞成，可又不便反对。如今出了楚王刘英谋反的事儿，他们正好借这个机会请汉明帝专门尊重儒家。汉明帝本来也不相信佛教，就在南宫办了一个太学，让贵族子弟学习儒家经典，特别是孝经。他想，要是人人都顺从父母，还会有谁来夺他的皇位呐？他还特地到鲁地去祭奠孔子，亲自到太学去讲孝经。

汉明帝办太学，注重文教，果然培养了一些喜欢读书写文章的名士。可也有一个书香子弟，居然抛了书本，扔了笔杆。他就是班彪的儿子班超。

投笔从戎

　　班彪当年离开了隗嚣，跟窦融在一起。后来汉光武知道他有学问，请他整理历史。他死后留下两个儿子，大的叫班固，小的叫班超。汉明帝就叫班固做兰台令史（汉宫藏书的地方叫"兰台"，"兰台令史"是在宫里校阅图书、治理文书的官，后来史官也叫兰台），继承他父亲的事业，编写历史。班超帮着哥哥做些抄写工作，后来也做了兰台令史。哥儿俩都像他们父亲那样很有学问，可是性情不一样。班固的理想人物是写《史记》的司马迁；班超的理想人物是通西域的张骞。他听说匈奴又联络了西域的几个国家，经常掠夺边界上的居民和牲口，气愤得再也坐不住了，说："大丈夫应当像张骞那样到塞外去立功，怎么能老闷在书斋里写文章呐？"他把笔杆一扔，就投军（文言叫"投笔从戎"，"从戎"就是从军）去了。

　　那时候，执掌兵权的是窦融的侄子窦固。他采用汉武帝的办法，先去联络西域，斩断匈奴的右胳膊，再去对付匈奴。公元73年，他就派班超为使者，带着随从和礼物去结交西域各国。

　　班超先到了鄯善（shàn shàn）。鄯善王虽然归附了匈奴，向匈奴纳税进贡，可匈奴还不满足，不断地勒索财物。鄯善王心里不高兴，可汉朝这几十年来顾不到西域这一头，他只好勉强顺从。这会儿汉朝又派使者来了，他就殷勤接待。班超住了几天，正打算再往西去，忽然觉着鄯善王态度变了，不像开初那么毕恭毕敬了，供给的酒食也不那么丰富了。班超心想，这里面准有鬼。

他跟随从的人说："鄯善王对待咱们跟几天前不一样了。你们看得出来吗？"大伙儿说："我们也觉得有点两样，可不知道为什么。"班超说："我猜一定是匈奴的使者到了。鄯善王怕得罪匈奴，才故意冷淡咱们。"话虽这么说，究竟只是推想。

刚巧鄯善王派底下人送酒食来了。班超见面就问："匈奴的使者来了几天了？住在什么地方？"那个底下人给班超这么一说，还以为他早知道了，就老老实实地说："来了三天了，住的地方离这儿才三十里地。我们的大王又是恨他们，又是怕他们，正为难着呐。"班超把那个人留在帐篷里，不让他去透露风声。他把三十六个随从全召集在一块儿，请大伙儿喝酒。

大伙儿正喝得兴高采烈，班超站起来，说："你们跟我千辛万苦来到西域，想的就是为国立功。没想到匈奴的使者到这儿才几天，鄯善王对咱们就不怎么客气了。要是他看咱们人数少，把咱们抓起来送给匈奴，咱们连尸骨都还不了乡了。怎么办呐？"大伙儿说："咱们想逃也逃不了啦。是死是活，全听您的！"班超说："没有进老虎洞的胆量，怎么逮得着虎崽子呐（文言作"不入虎穴，焉得虎子"）？如今只有一个办法，趁着黑夜去袭击匈奴使者住的帐篷。他们不知道咱们有多少兵马，一定着慌。只要杀了匈奴使者，鄯善王一定吓破苦胆，还能不归顺咱们吗？大丈夫立功就在这一遭了。"大伙儿都说："对！咱们不管死活，就这么拼一下子！"

到了半夜里，班超率领三十六个壮士，偷偷地摸到匈奴使者的帐篷外边，正好赶上刮大风。班超吩咐十个壮士拿着鼓躲在帐篷后面，二十个壮士埋伏在帐篷前面，他带着六个人顺着风向放火。火一烧起来，十个人同时擂鼓呐喊，其余的人大喊大叫，杀进帐篷里去。匈奴人从梦里吓醒，当时就大乱起来，班超手起刀落，一下子砍死了三个匈奴兵。壮士们跟着班超，杀了匈奴的使者和三十多个随从。他们割下了匈奴使者的脑袋，把帐篷都烧了，剩下的匈奴兵有给烧死的，也有逃跑的。班超带着三十六个壮士回到自己营里，正好天亮。

鄯善王听到匈奴的使者给杀了，又是高兴，又是害怕。只要汉朝能帮他抵抗匈奴，他是愿意跟汉朝联合的。他亲自来到班超的帐篷里，说今后一定听从汉天子的命令。班超好言好语安慰了他一番。鄯善王为了表示真心跟汉朝和好，就叫他儿子跟着班超到洛阳去学习汉朝的文化。

班超回到洛阳，向窦固报告了结交鄯善的经过。窦固很高兴，向汉明帝奏明了班超的功劳。汉明帝派班超再去结交于阗（阗 tián，也写作寘），还叫他多带些人马去。班超说："于阗地方大，路又远。宣扬威德不在人多，只要能帮助他们抵抗匈奴就成。要是出了岔子，多带几百个兵也不顶事，反倒成了累赘。我带着原来的三十六个壮士去，也就够了。"汉明帝知道班超能随机应变，就同意了。他觉得既然到西域去宣扬威德，就叫班超多带些礼物去。

班超带着原班人马，走了好多日子，才到了于阗。于阗王早就听说班超厉害，只好出来接见。可他那儿还住着个匈奴派来的军官呐，真叫他左右为难。他回到宫里，就把巫人请来，让巫人向大神问问吉凶：他到底是向着汉朝好，还是向着匈奴好。

那个巫人是向着匈奴的。他装模作样地做起法来，假装大神的口气对于阗王说："你为什么要跟汉朝人来往？汉朝使者骑的那匹马倒不错，赶快拿来祭我。"于阗王怎么敢违背大神的旨意呐，就派人去向班超要马。可他手下有几个人不服气，偷偷地把巫人的花招告诉了班超。班超心里有了底，就对来取马的人说："大王要我的马敬神，我怎么能不乐意呐？可不知道要的是哪一匹，请巫人自己来挑挑吧。"

取马的人回去一说，那个巫人还真的来挑马了。班超也不跟他说话，立刻拔出宝剑把巫人杀了，就提溜着巫人的脑袋去见于阗王，对他说："这个人头跟匈奴使者的人头一个样。你跟汉朝和好，两国都有好处；你要是勾结匈奴侵犯汉朝，我们的宝剑可不是吃素的。"

于阗王见了人头早就愣住了，再听班超这么一说，不由得软了半截，连连说："愿意听汉天子的吩咐。"他派兵杀了匈奴的军官，把人头献给了班超，还说愿意像鄯善王那样，把儿子送到洛阳去学习。班超这才把带来的绸缎和布匹等礼物送一份给于阗王和他手下的大官。

于阗和鄯善是西域的大国，他们跟汉朝有了来往，别的小国像龟兹（qiū cí）、疏勒， 跟着也都过来了。班超派人去向窦固报告，窦固让班超留在疏

◎林汉达历史故事·东汉

DONGHANGUSHI

勒，好就近帮助西域各国抵抗匈奴。西域和汉朝不相往来已经有六十五年了，到了这时候，才恢复了张骞当时的局面。

公元75年，汉明帝害病死了，太子即位就是汉章帝。这一年，国内发生了大饥荒。有的大臣说，把军队驻扎在老远的地方，花费大，得益少，还不如撤回来。汉章帝才十八岁，没有什么主张。他下了一道诏书，让驻扎在西域的兵马都撤回来。

班超接到了诏书，只好准备动身。疏勒国的官员和百姓一听到这消息，都像大祸临头似的，只怕匈奴再来欺负他们。有一个疏勒的将军流着眼泪说："汉朝扔了咱们，咱们用什么来抵挡匈奴呐！与其那时候死，不如今儿就死了吧！"说着就自杀了。班超看了心里像刀子扎一样，可皇上叫他回去，他怎么能不依呐？

　　班超经过于阗，于阗王和大臣们拦住了班超，抱住他的马腿不放。班超只好暂时住下来，上书给汉章帝说：西域各国受不了匈奴的欺负，把汉朝的天子当做靠山，现在天子叫我回去，他们失去了依靠，只好再去投降匈奴，再来侵犯中原。汉章帝看了班超的奏章，跟大臣们商议了一下，就收回成命，让班超留在西域。

　　汉章帝做了十三年皇帝，害病死了。太子即位，就是汉和帝，尊汉章帝的皇后窦氏为皇太后。汉和帝不是窦太后亲生，他的母亲梁贵人还是被窦太后害死的。汉和帝即位的时候才十岁，窦太后替他临朝。因为儿子不是自己生的，窦太后就依靠娘家，让哥哥窦宪执掌大权。从汉章帝起，东汉的皇帝大多是短命的，新即位的皇帝又多半都是小孩子。就因为这样，太后临朝，太后家执掌大权，差不多成了公式，外戚的势力从此大起来了。

　　皇太后的哥哥窦宪执掌了大权，第一件大事就是把禁止私人煮盐和炼铁的法令废了。汉武帝当年费了很大的力气，把煮盐和炼铁的利益从豪门手里夺了过来。这会儿，窦太后为了得到豪门的支持，又把盐铁的利益让给了他们。这样一来，窦家的政权居然拿稳了。窦宪的几个兄弟都做了大官。

　　汉和帝有个本家伯父叫刘畅，是汉光武的大哥刘𬙂的孙子，为了汉章帝的丧事，他到京师来吊孝，窦太后几次召他进宫。窦宪怕窦太后重用刘畅，派刺客把他暗杀了。窦太后蒙在鼓里，还叫窦宪去捉拿凶手，追查主使的人。窦宪把杀人的罪推在别人身上，可有人不服气，说应当仔细调查。调查下来，主使杀人的原来就是窦宪自己。杀了皇帝的伯父，这可不是件小事儿，窦宪只怕窦太后也没法包庇他。正好南匈奴的单于上书说北匈奴遭了饥荒，又发生了内乱，请汉朝发兵帮他去打北匈奴，窦宪就请窦太后让他带兵北伐，也好避过这个风头。窦太后自然同意，还拜他为车骑将军。这么一来，窦宪又神气起来了。

　　原来匈奴早已分裂成南北两部。强迫西域跟汉朝作对的是北匈奴，住在大漠以北。大漠以南的归附汉朝，叫南匈奴。这时候北匈奴已经衰落，不能抵抗汉兵。窦宪在漠北打了个大胜仗。俘虏和投降的匈奴兵有二十万人。他就让中护军班固写了一篇颂扬他的功德的文章，高高地刻在山石上，这才下令班师还朝。窦太后拜窦宪为大将军，加给他两万户的封地，叫他驻扎在凉州。窦宪的三个兄弟都封了侯，加上他们的子弟、女婿、伯伯、叔叔、娘舅、外甥，还有爪牙、心腹，威风得了不得。各地的刺史、郡守、县令，大多是窦家门里出来的。他们贪污勒索、贿赂公行。谁要是反对他们，谁准得倒霉。窦宪的三弟窦景，更闹得无法无天。

窦景手下有两百人骑兵做他的卫队。这一伙人骑着高头大马，老成群结队在街上溜达。瞧见哪个铺子有什么值钱的东西，他们拿手一指，东西就是他们的了，压根儿用不着付钱。妇女给他们看中了，也就算他们的了，还得乖乖地送去，要不然他们就加个罪名，抓去当囚犯来办。洛阳城里的商人和居民一瞧见窦家的卫兵和奴仆出来，都逃的逃、关门的关门，好像见了老虎一样。向着窦家的官儿不用说了，就是不向着窦家的也只好睁着眼睛当做没瞧见。谁要是多嘴，自己的命先保不住。朝廷上除了司徒丁鸿、司空任隗、尚书韩棱，差不多都是窦宪一党的。他们把窦家作为靠山，互相勾结，准备造反，拥护窦宪做皇帝。

汉和帝这时候十四岁了。他年纪虽小，可挺有心眼，看出了这批人谋反的苗头。他打算把丁鸿、任隗、韩棱召进宫去，商议对付的办法。可是里里外外、上上下下，都是窦宪的"耳朵"和"眼睛"，万一走漏了消息，可不是闹着玩儿的。他看看左右，只有服侍他的宦官。他觉得中常侍郑众还忠实可靠，和他谈谈，别人也不会起疑心。这么一想，他就趁着郑众进来伺候他的时候，悄悄地问郑众怎么才能够消灭窦党。郑众出了个主意，先把窦宪从凉州调回来，趁他们不防备，把他们一网打尽。汉和帝叫郑众暗地里联络了司徒丁鸿、司空任隗他们，接着就下了一道诏书到凉州，说南北匈奴已经和好了，西域也通了，大将军应当回到朝廷里来辅助皇上。

窦宪正想回到京师来，好成全大事。他接到了诏书，就带着大军回到洛阳。汉和帝派大臣到城外去迎接窦宪，还慰劳了他的将士。窦宪把军队驻扎在城外，自己进了城。那时候天已经快黑了，他决定在家里休息一夜，第二天一早去朝见皇上。那些奉承窦宪的大官儿都连夜到将军府里去拜见窦宪。就在这个时候，汉和帝和郑众到了北宫，吩咐丁鸿派兵关上城门。丁鸿把所有的卫兵都用上，人不知、鬼不觉，分头布置停当。窦宪的女婿郭举和亲信邓叠从将军府出来，才回到家里，就像小鸡碰到老鹰似的，一个一个都给抓了起来，当夜就下了监狱。

窦宪送走了客人，安安停停睡了一觉，什么都没听见。他哪儿知道，丁鸿带着卫兵，已经把将军府围得水泄不通。天一亮，汉和帝的使者敲门进来，说有诏书到。窦宪慌忙起来，揉揉眼睛，趴在地下。使者宣读了诏书，免去窦宪将军的职司，改封为冠军侯。窦宪只好交出大将军的大印。送走了使者，他派人去探听几个兄弟的动静，才知道他们也都交还了大印。没过多少时候，他又听到郭家、邓家的人都绑到大街上杀了。凶信接二连三，急得窦宪晃晃悠悠，脑子里嗡嗡直响。可皇上的使者又到了，催他立刻离开将军府，回到自己的封邑去。他的兄弟窦笃、窦景、窦环，也都分头动身走了。

窦宪哥儿四个各自带了家小，回到了自己的封邑。汉和帝免了窦环的罪，其余三个，嘱咐他们自己动手，他们都只好自杀。窦太后孤零零一个人住在宫里，过了几年也害病死了。

当年勾结窦宪的大官，也有处死的，也有自杀的。中护军班固也算窦宪一党，给下了监狱。班固已经六十多了，受不了折磨，就在监狱里自杀了。

班固当初奉了汉明帝的命令，编写《前汉书》。这时候，还剩下一小部分，别人很难接着往下写。汉和帝听说班固的妹妹班昭很有才学，就把她召进宫去，叫她继续她哥哥的工作。班昭是扶风人曹寿的媳妇儿，早年守寡。她进宫以后，除了写书，还教后宫的妃子和宫女念书。后宫都叫她曹大姑（古文写作"大家"，女子的尊称，"家"要读作"姑"）。

曹大姑另一个哥哥就是远在西域的班超。他跟窦宪没有来往，当然牵累不着，还升了官，当了西域都护。

天知地知

　　班超在西域，听说西方还有个大国叫大秦（就是罗马帝国），就派助手甘英为使者，带着随从和礼物去联络大秦。甘英到了条支（古国名，在叙利亚一带），受到当地人的欢迎。条支国是个半岛，都城造在山上，周围四十多里，西面是大海（就是地中海）。那地方又热又潮湿，老有狮子、犀牛等猛兽出没，走陆路很不方便，甘英打算乘船去。有个安息（古波斯国）船夫劝告他说："我看你还是别去了。海大得很，行船得冒极大的风险。碰巧了，顺风顺水，也得三个月工夫；风向不凑巧，两年也到不了。我们到大秦去，船上总得准备着三年的粮食。大海茫茫望不见边，船里的人免不了想家，要是害了病，或者遇着风浪，死的人可就不少。你们东方人怎么受得了哇？"

　　甘英谢过了那个安息人，回来把经过报告了班超。刚巧安息的使者到了，带来了安息的狮子和条支的大鸟作为礼物，要送给汉朝皇帝。班超这时在西域已经三十年了，他就派他儿子班勇陪着安息国的使者上洛阳去，还趁这个机会上了一封书给汉和帝。他说："我死在西域也无所谓，只怕以后的人因为我不得回国，不敢再出来了。我即使回不到酒泉郡，只要能活着进玉门关也心满意足了。我的儿子从小生长在西域，我能在活着的时候，让他回来看看父母之邦，我真够造化的了。"汉和帝可没给他回信。

　　班超的妹妹曹大姑也上书汉和帝，苦苦央告让她哥哥回来。汉和帝才下了一道诏书，派中郎将任尚为西域都护去接替班超，召班超回朝。公元102

年八月，班超回到洛阳，九月里死了，死的时候七十一岁。

过了三年，汉和帝年纪轻轻的也死了。皇后邓氏没有儿子，就把后宫生的一个不满两周岁的婴儿立为太子。第二年正月，这个小太子即了位，就是汉殇帝（殇 shāng），他当然做不了主，只好由邓太后临朝。邓太后还挺年轻，不便老跟大臣们在一起商讨国家大事。除了她哥哥邓骘（zhì），还有谁能老到宫里去见皇太后呐？这样一来，邓骘就做了车骑将军。这一年八月里，汉殇帝死了。邓太后和邓骘一商量，觉得清河王刘庆的儿子生得聪明伶俐，就立他为太子，太子即位，就是汉安帝。汉安帝也不过十三岁，邓太后继续临朝。

邓太后看到过窦宪是怎样败亡的。她不敢专用娘家的人，还一再吩咐地方官，邓家的亲戚、子弟要是有过错，一概从严惩办。她还提倡节俭，减轻捐税。

可事情并不顺她的心，国内连年发生灾荒，老百姓穷得没饭吃，连京城里都饿死了人，又有地方爆发了农民起义。西北边境上也不安宁，匈奴和西羌都打到内地来了。原来接替班超的任尚只知道压制西域的老百姓，改变了班超当初的规矩。西域各国一个接一个地起来反抗，朝廷上的大臣也目光短浅，认为西域各国反复无常，根本没法治，不如把兵撤回来，也好省下一大笔粮饷。邓太后听了这些意见，就放弃了西域。这样，西域又落入匈奴手里。匈奴又联络西羌不断入侵西北边境，抢劫财物，残杀人民。

邓太后凭她一个人，怎么能管得了这么些国家大事呐？她叫邓骘推荐有名望的人到朝廷里来办事。邓骘果然推荐了一个人，就是华阴（在陕西省潼关县西）人杨震。

杨震很有学问。他家里穷，靠教书和种菜过日子。弟子们替他种菜，他不让，说免得耽误他们的功课。他教了二十多年书，人们都说他道德高，学问好。邓骘听到了，先推荐他为"茂才"（就是秀才），请他当荆州刺史，后来又调他去东莱（在山东省）当太守。他到东莱去上任的时候，路过昌邑（山东省金乡县西北），在驿站里住了一宿。

昌邑县的县令王密本来是杨震推荐的。王密也许为了感谢杨震，也许为了要他提拔，就在夜里去拜见他，献上了十斤黄金。杨震对他说："我知道您是怎么个人，您怎么不知道我呐？"王密说："您先别说这个。我给您送点礼，您何必客气呐！反正半夜里没有人知道，您就收了吧。"杨震一本正经对他说："天知道、地知道；你知道、我知道。你怎么能说没有人知道呐？"王密听了，臊得连耳朵根儿也红了，只好拿着黄金退了出去。

杨震做了好几年太守，仍旧是两袖清风。家里人吃的是蔬菜，走路靠两条腿。有个朋友对他说："为了子孙后代，您多少也该置办点儿家产。"杨震笑着说："让我的后代做个清白官吏的子孙，这份遗产还不够阔气吗？"

杨震到了京师，做了太仆（管车马的官），后来又升为太常（管祭祀的官）。这会儿邓骘又推荐他做了司徒。大臣们都尊敬他，邓太后也特别信任他。这时候汉安帝已经二十六岁了，朝廷上有了这么一个司徒，邓太后该可以放心了，为什么她还要自己临朝，不把大权交给皇帝呐？原来她有她的苦衷：汉安帝小时候聪明伶俐，没想到他越大越不像话，只知道吃喝玩乐，不知道上进。邓太后挺不高兴。她看到河间王的儿子刘翼人才出众，就封他为平原王。

汉安帝的奶妈王圣见邓太后喜欢刘翼，就起了疑心，只怕邓太

后要改立刘翼为皇帝。她勾结了李闰和江京两个内侍，在汉安帝跟前给邓太后说坏话。汉安帝挺相信他奶妈的话，对邓太后又是恨又是怕。

公元121年，邓太后病了，还咯了血。她辛辛苦苦地临朝十八年，死的时候才四十一岁。邓太后一死，汉安帝亲自掌了权，中常侍樊丰、刘安、陈达，还有内侍李闰、江京、奶妈王圣，一下子都参与了朝政。这一批人交了

运，另一批人就倒霉。第一个倒霉的是龙亭侯蔡伦。

蔡伦是桂阳人（在湖南省），他很有学问，喜欢研究手工艺。本来，文字不是刻在竹简上，就是写在绢上。后来西汉初年，出现了一种用树皮和麻丝做的纸。可是这种纸太粗糙，不好写字。蔡伦又研究了好几年，试验了不知道多少次，末了用树皮、麻丝、破布、鱼网什么的泡在水里，用石臼捣得稀烂，制成了一种又薄又细的纸。他把他制的纸献给了汉和帝。汉和帝着实称赞了一番。打这儿起，大伙儿欢喜用蔡伦的纸，纸就渐渐用开了。后来，邓太后封蔡伦为龙亭侯，大伙儿就把蔡伦造的那种纸称为"蔡侯纸"。

邓太后一死，有人向汉安帝告发，说蔡伦从前奉了窦太后的命令，杀了汉安帝的祖母。蔡伦不愿意受到侮辱，就喝毒药自杀了。

汉安帝恨透了邓太后的哥哥邓骘，收了他的大将军印，逼着他自杀。邓家的子弟全受了连累。外戚邓家算是完了，新的外戚和宦官江京、李闰他们都封了侯。奶妈王圣和她的女儿在宫里直进直出，威风无比。汉安帝成天价跟这些人胡闹，国家大事一概不管，都交给樊丰他们去办。司徒杨震好几次上书劝告，汉安帝就是不理。

樊丰他们看到杨震也碰了钉子，就谁都不怕了。他们假传诏书，调用国库里的钱，大兴土木，给自己盖起花园来。杨震自然又上书告发，樊丰就请汉安帝免去他的官职。这还不够解恨，他又在汉安帝跟前撺掇说："杨震本来是太后的心腹，邓家受了惩罚，他怎么能够不怨恨皇上呐？依我说，还不如送他回乡吧。"

杨震只好动身回到家乡华阴去，他的门生都去送他。到了城西夕阳亭，他对门生们说："有生必有死，本来用不着难受；只是我受了皇恩，不能消灭奸臣，还有什么面目见人呐？我死之后，你们要用葬一般读书人的制度葬我，切不可铺张奢侈。"这位拿"天知、地知"提醒人的人就这么自杀了。他的学生们痛哭不必说了，连过路的人也没有不流泪的。

杨震一死，汉安帝清静得多了。他就带着年轻漂亮的阎皇后、国舅阎显和樊丰、江京一伙人离开了洛阳，往南边游玩去了。他可没想到，这一去就不能活着回来了。

豺狼当道

汉安帝走到半道儿，乐极生悲，害起病来，只好打消了往南游玩的念头，赶紧回来。这位糊涂皇帝就糊里糊涂地死在路上了。阎皇后忍不住大哭起来，阎显、江京、樊丰他们连忙向她摆手，对她说："不能哭，大臣们要是知道皇上晏驾了，立了济阴王，咱们还活得下去吗？"阎皇后只好忍着眼泪，不敢哭出声来。

原来汉安帝的后宫李氏生了个儿子叫刘保，本来已经立为太子了。阎皇后怕李氏夺她的地位，把李氏毒死了；又叫江京、樊丰诬告太子谋反。太子刘保才十岁，汉安帝就把他废了，立为济阴王。如今汉安帝死在路上，阎显、江京、樊丰他们只怕大臣们知道了，把刘保请回来当皇帝。他们急急忙忙地回到京师，把另立新皇的计策定了以后，才给汉安帝发丧。阎皇后打算自己临朝，挑了个汉章帝的孙子做皇帝，她自己做了皇太后，哥哥阎显做了车骑将军，执掌了大权。阎显把那地位最高的三公（太尉、司徒、司空）都换了自己的人，又跟新的三公联名弹劾大将军耿宝、中常侍樊丰、谢恽、周广和奶妈野王君王圣，说他们结党营私，大逆不道。阎太后下了一道诏书，这几个人就全完了。新上台的是阎太后和阎显的几个兄弟：阎景、阎耀、阎晏。阎家的威风就抖起来了。

谁知好景不常，才过了几个月，娃娃皇帝害了病，眼看活不成了。宦官孙程想趁着机会抓权，秘密联络了十八个中黄门，大家伙儿对天明誓，决定去迎接废太子刘保。娃娃皇帝果真死了，阎太后和阎显他们还没商议停当，孙程他们突然发动起来，杀了内侍江京、刘安一伙人。当天晚上就请济阴王刘保即位，这就是汉顺帝。孙程传出了汉顺帝的命令，指挥全部卫队杀了卫尉阎景，逼着阎太后交出了玉玺；阎显、阎耀、阎晏下了监狱，一个个都处了死刑，把阎太后软禁在离宫，没过几天阎太后也死了。孙程他们十九个宦官是有功之臣，都封了侯。一眨巴眼儿，东汉的天下就从外戚手里转到宦官的手里了。

公元132年，汉顺帝十八岁了，立贵人梁氏为皇后，梁皇后的父亲梁商做了大将军。有人请汉顺帝叫各地推荐有才学的读书人到京师里来，由皇上亲自考试。来的人果然不少，最出名的有汝南人陈蕃、颍川人李膺（yīng）、南郑人李固、南阳人张衡等人。他们参加了考试，提出了种种改进政治的办法。可政权掌握在宦官和外戚的手里，这些读书人能发挥什么作用呐？

在这些读书人里边，南阳的张衡还是个了不起的科学家。他是专门研究天文和数学的。他断定地球是圆的，月亮绕着地球转，借着太阳的光而发光。他还用铜制造了一个"浑天仪"，上面刻着日月星辰，靠流水来转动。坐在屋子里看着浑天仪，就可以知道什么星从东方升起来，什么星从西方落下去。

那时候，经常发生地震。张衡就发明了一个仪器，叫"地动仪"，形状像一个大酒坛。在"酒坛"周围，按照东、南、西、北，东北、东南、西北、西南八个方向，装着八条龙，每条龙的嘴里含着一个铜球。龙嘴下面各蹲着一个张着嘴的铜蛤蟆。哪个方向发生地震，朝着那个方向的龙就吐出铜球。铜球正好落在蛤蟆嘴里，"当"的一声，就像打钟一样。只要听到声音，跑去一看，就能知道哪个方向闹了地震。

大臣们听说张衡造出地动仪，都不相信，只把它当做逗乐的玩艺儿。公元138年二月里的一天，地动仪上朝西的那条龙吐出铜球，"当"的一声，掉到蛤蟆嘴里了。可洛阳城没有地震，也没听说附近哪儿发生了地震。大臣们议论纷纷，都说张衡的地动仪是骗人的，有的甚至说他造谣生事，应当办罪。没想到才过了几天，陇西有人来报告说，离洛阳一千多里的金城发生了大地

震，连山都塌了。大伙儿这才信服了。可是朝廷里乌烟瘴气，真有本领的人

哪儿能得到重用呐。

汉顺帝靠着宦官做了皇帝，他当然要重用宦官。浮阳侯孙程死了，汉顺

帝格外开恩，让孙程的养子孙寿继承爵位和封地。当初汉武帝和汉宣帝利用宦官，是因为宦官没有后代，不致于像外戚那样来威胁朝廷。现在开了这个例，宦官的养子也可以得到封赏，还有个完有个了吗？养子是要多少有多少的。这么着，汉宫里的宦官多到几百家，甚至上千家，彼此争权夺利，闹得天下乱糟糟的，没有一天安宁。大将军梁商虽然做了大将军，也叫他儿子好好地结交宦官曹节、曹腾他们，好保全一家的荣华富贵。不少见风使舵的官员，也争先恐后地向曹节他们献殷勤。

公元141年，梁商害病死了。汉顺帝让梁商的儿子梁冀接着他父亲做了大将军，另一个儿子梁不疑做了河南尹。别看梁冀说话结结巴巴的，他可是从小就耍钱、斗鸡，长大了仗势欺人，什么坏事都干。这样的人做了大将军，又和曹节、曹腾那些宦官勾结在一起，就更闹得无法无天了。老百姓给逼得活不下去，纷纷起来反抗官府，专杀贪官污吏。

谏议大夫周举上书给汉顺帝说，要想把造反的平息下去，先得把各地的地方官查一查，是贪官污吏，就该严办。汉顺帝这一回倒是听了他的话，派了八个大臣分头到各地去视察。

八个大臣中，有个最年轻的叫张纲。他一路走，一路想：把国家弄得这么糟，还不是朝廷上那些大官吗？惩办了那些大官，地方上的小官自然就不敢胆大妄为了。他越想越不是味儿，到了洛阳都亭，就把坐的车子毁了，把车轮埋了起来，不走了。人家问他："您怎么啦？"他说："豺狼当道，何必查问狐狸？"他跑回洛阳，就上书告大将军梁冀和河南府尹梁不疑。

这个消息一传开，整个洛阳城都轰动起来了。老百姓都说张纲代他们说出了心里话。梁家的子弟和亲戚恨得咬牙切齿。他们说："张纲这小子，看他有几个脑袋！"汉顺帝正宠着梁皇后，怎么会惩办皇后的弟兄呐？可他知道向着张纲的人也不少，只好把张纲的奏章搁在一边，只当没有这回事似的。出去视察的大臣报上来的，大多也牵连到梁冀和宦官，这些报告，也都像石沉大海，没有下文了。

梁冀恨透了张纲，非想个法治他一下才解气。刚巧广陵那边有公文到来，说"广陵大盗"张婴扰乱徐州、扬州一带，手下有好几万人马。梁冀就趁这个机会，推荐张纲为广陵太守，想让他到那儿送死。

张纲到了广陵，带着十几个随从亲自去见张婴，说自己是来惩办贪官污吏的，决不跟老百姓为难。张婴早就听说张纲为人正直，说话算话。两个人就指天起誓，要一起除暴安良。张纲在起义军中挑选了一批有能力的人，帮他办事，让其余的人回家种地。广陵一带就这么安定下来了。

公元144年，汉顺帝死了。两岁的太子即位，就是汉冲帝。不到半年，汉冲帝又死了，立谁做皇帝呐？大臣们提出两个人来：一个是清河王刘蒜，一个是勃海王刘缵（zuǎn），都是汉章帝的曾孙。太尉李固劝梁冀立年长的刘蒜。梁冀和梁太后可不听他的，年长的皇帝哪儿有年幼的皇帝听他们的话呐？他们就决定立八岁的刘缵为皇帝，这就是汉质帝。

汉质帝才八岁，又聪明，又不懂事。他看梁冀独断独行，把谁都不搁在眼里，觉着别扭。有一天在朝堂上，汉质帝当着文武百官面，指着梁冀说："大将军是个跋扈将军（跋扈，专横的意思）。"梁冀一听，气得眼珠子都蹦出来了，他寻思着："这小子这么厉害，赶明儿长大了还了得！"就嘱咐内侍把毒药放在饼子里拿上去。汉质帝吃了饼子，觉着难受，就召太尉李固来问："吃了饼子，肚子闷，口干，喝点儿水还能活吗？"梁冀抢着说："不、不、不能喝，喝了恐怕要、要、要吐。"梁冀嗑嗑巴巴地还没说完，汉质帝倒在地下，打了几个滚，死了。李固扑上去痛哭了一场，请梁太后和梁冀查办内侍。要是张纲还活着，他一定又是那句话："豺狼当道，何必查问狐狸？"

太尉李固和大鸿胪杜乔他们只怕梁冀又要挑个小娃娃做皇帝，就联名上书，请立清河王刘蒜为帝。可梁冀和梁太后又有了主意。第二天，梁冀把大臣们召集在一起，他耸着肩膀，直瞪着两只眼睛，气势汹汹地说："立……立……立蠡吾侯（蠡lí）！"李固、杜乔他们正要说话，梁冀就大喝一声："退朝！"立皇帝的事，就这么定了。

李固还真有点固执劲儿，他写信给梁冀，说了一大篇该立刘蒜的道理。梁冀把信一扔，进宫去请梁太后拿主意。梁太后下令免了李固的职，让杜乔接替他做太尉。这么着，十五岁的刘志当了皇帝，就是汉桓帝，仍旧是梁太后临朝，大权仍旧掌握在梁冀手里。

转过了年，汉桓帝娶了梁太后的小妹妹，姐儿俩成了两辈，一个是太后，一个是皇后。梁冀要拿最阔气的聘礼去迎接他妹妹。杜乔反对，说不能破坏先皇定下的规矩。梁冀恨透了杜乔 。碰巧洛阳发生地震，一些人上书说京师地震，罪在太尉。梁太后就又把杜乔免了职。梁冀知道推崇李固、杜乔的人还不少，就趁机请梁太后把李固下了监狱。

李固的学生们听说老师给逮了起来，一齐到宫门前请愿，要求释放李固。梁太后怕事情闹大，只好把李固放了。李固昂着脑袋走出监狱，洛阳城里满街满巷的人都直喊"万岁"。梁冀听说了，他想："这还了得，这不是跟我梁家作对么？"他又去对梁太后说："李固笼络人心，图谋不轨，咱们梁家将来准要吃他的亏，不如趁早把他治了。"这一来，李固又给抓起来，他受不了折磨，在监狱里自杀了。梁冀又派人去叫杜乔自杀，杜乔不听他的。梁冀就把他抓了起来，杜乔也给逼死在监狱里。

公元150年，梁太后害病死了，朝中的大事，就梁冀一个人说了算。他不但是梁太后的哥哥 ，还是梁皇后的哥哥呐。尽管他怎样无法无天地闹，汉桓帝还是信任这个大舅子，这个跋扈将军。公元153年，黄河发大水，冀州一带的河堤决了口，淹死了不少老百姓，几十万户人家流离失所。当地的官员不但不救济，还借着修复河堤敲诈勒索。冀州的难民越来越多，眼看要造反了。梁冀就派朱穆去做冀州刺史。朱穆是个出了名的执法如山的人，老跟梁冀过不去。他就让朱穆到灾区去吃点儿苦头。

朱穆才过了黄河，冀州的贪官污吏已经吓破了胆，就有四十多人扔了官印逃走了。朱穆到了冀州，果然铁面无私，认真查办起来。

有人向朱穆告发：宦官赵忠的父亲死了，赵忠跟埋葬皇上一样，给他父亲穿上了玉衣。在那个时候，丧葬有严格的制度，一个宦官的父亲也穿上了玉衣，这可不是件小事。朱穆马上派人去调查。去的人刨开坟来一看，赵忠的父亲真穿着玉衣躺在棺材里呐。朱穆听到报告，当时就把赵忠一家下了监狱。

赵忠在宫里得到消息，气得两眼发直，就跑到汉桓帝跟前哭诉，说朱穆刨了他父亲的坟。梁冀本来讨厌朱穆，也在旁边加枝添叶，说了朱穆许多坏话。汉桓帝哪儿有不听他的，立刻派人把朱穆逮回来，关进了监牢。

消息一传出去，就有好几千太学生出来打抱不平。大伙儿公推刘陶带头，写了一封信，一齐来到宫门前，要求释放朱穆，要是不放，大伙愿意跟朱穆一同坐牢。汉桓帝也怕秀才造反，只好把朱穆放了，让他回到本乡南阳去。太学生们还不肯罢休，又上书给汉桓帝说："皇上要打算安定天下，就得起用忠良。朱穆、李膺为人正直，办事能干，是中兴的助手，国家的柱石。皇上应当召他们还朝，辅助皇室。"汉桓帝哪儿做得了主，大权还在梁冀手里拿着呐。

不想没隔多久，梁冀的妹妹梁皇后死了。汉桓帝本来喜欢邓贵人，皇后一死，邓贵人就出了头。这邓贵人是邓太后（汉和帝的皇后）的侄孙女儿，父亲早死了。梁冀的老婆看她长得挺美，就收作自己的女儿，叫她改姓梁，把她送进了宫里。大伙儿还以为邓贵人是梁冀的女儿，只有邓贵人心里明白是怎么回事儿。这会儿邓贵人出了头，梁冀只怕邓贵人的母亲在外头泄露了秘密。他就派了个刺客去杀邓贵人的母亲。不料那刺客被人逮住了，审问下来，才知道是大将军梁冀派去的。邓贵人把这事儿告诉了汉桓帝。梁冀这些年来杀过不知多少人，汉桓帝从不过问；这会儿杀到邓贵人的母亲头上了，那还了得！汉桓帝气得肚子发胀，就悄悄地问小黄门唐衡："宫中谁跟梁家有怨？"唐衡低声说："单超、左悺（guǎn）、徐璜、具瑗（yuàn），他们都……"汉桓帝连忙摆了摆手，说："我知道了。"

汉桓帝挺秘密地跟这五个宦官商量定当，发动起一千多卫兵，突然包围了梁冀的住宅，收了他的大将军印。梁冀知道自己完了，只好跟老婆一块儿喝毒药自杀。梁家的子弟、亲属有的给处死，有的废为平民。跟梁冀好的大官、小官免去了三百多人，朝廷上差不多空了。

◎林汉达历史故事·东汉

DONGHANGUSHI

宦官五侯

外戚梁家的势力倒了，汉桓帝就把单超、左悺、徐璜、具瑗、唐衡这五个宦官在同一天都封了侯，就是所谓"宦官五侯"。

单超又对汉桓帝说，小黄门刘普、赵忠等也有功劳，汉桓帝慷慨得很，就又封了八个宦官为侯。朝廷上一下子好像有了点新气象，其实打这儿起，东汉的政权从外戚手里又转到了宦官手里。

尚书令陈蕃还盼望着汉室中兴，他向汉桓帝推荐了五个名士：南昌人徐穉(zhì)、广戚人姜肱（gōng）、平陵人韦著、汝南人袁闳（hóng）、阳翟人李昙（tán）。汉桓帝派人分头去迎接他们，可这五个人没有一个肯来的，都宁愿留在家乡教书种地。陈蕃还不死心，又请汉桓帝去接安阳名士魏桓。魏桓跟徐穉他们一样，也不肯动身。朋友们劝他说："就是到京师里走一趟也好嘛。"魏桓说："读书人出去做官，总得对得起百姓，对得起国家。现在后宫多到几千人，请问能减少吗？供玩儿的马多到一万匹，请问能减少吗？皇上左右的那一批宦官，请问去得了吗？"大伙儿听了都叹气说："恐怕都办不到。"魏桓说："对呀！那你们干吗还要劝我去呐？要是我活着去，死了回来，对大伙儿有什么好处呐？"大伙儿这才没有话说。

名士们一个也不来，汉桓帝并不希罕他们，他有一大批封了侯的宦官呐。中常侍侯览并没参与除灭梁冀的事，他献了五千匹绢，汉桓帝也封他为侯，列在功臣里面。白马（在河南省滑县）县令李云上了个奏章，批评汉桓帝不该滥封宦官。他说："这么多的宦官，没有什么了不起的功劳，都封了万户侯，这怎么能叫在边塞上的将士们服气呐？皇上乱给爵位，宠用小人，贿赂公行，不理朝政，这样下去怎么得了。"

汉桓帝看了李云的奏章，气得眼珠发直。他立刻下一道命令，把李云下了监狱，叫中常侍管霸严刑拷打。大臣杜众上书说愿意和李云一同死。汉桓帝更火儿了，把杜众也下了监狱。陈蕃等几个大臣联名上书，替李云和杜众求情。汉桓帝要让他们瞧瞧他才是治理天下的主子，就把陈蕃他们都革了职，传令把李云、杜众都杀了。你说他宠用宦官，他觉得还没宠用够呐，干脆把单超拜为车骑将军，叫他掌握全国的兵权。宦官的势力顶破了天。

单超做了车骑将军没多久，就死了。其余四个：徐璜、具瑷、左悺、唐衡可越来越骄横。宦官的义子也能继承爵位和俸禄，这是汉顺帝开的先例。就有不少没皮没脸的人赶着宦官叫爸爸。这样，四个宦官的义子、兄弟和侄儿都做了官，有不少做了太守，做县令的那就更多了。这些大官、小官，只知道贪污勒索。老百姓受了冤屈，也没有地方可以告发。

徐璜的侄儿徐宣做了下邳令。已经死了的汝南太守李嵩，家就在下邳，他的女儿给徐宣看上了。徐宣派人到李家去，要小姑娘做他的姨太太。李家不答应，徐宣就派人把她抢了来。小姑娘一死儿不依。徐宣火冒三丈，叫人把她绑在柱子上，毒打了一顿，再问她依不依。小姑娘骂他是畜生。徐宣龇着牙齿一笑。他拿出一张弓，拣了十几支箭，一边喝酒，一边把她当做箭靶子，就这么喝一口酒，射一支箭，把小姑娘活活射死了。

李家到处鸣冤告状，可有谁敢碰徐宣一根毫毛呐？最后告到东海相黄浮那儿。黄浮是个不怕死的硬汉，下邳又是属东海管的，他就把徐宣传来当面审问。徐宣仗着他叔叔徐璜腰杆子硬，把嘴角使劲往下一拉，说："你敢把我怎么样？"黄浮吩咐手下的人剥去他的衣帽，把他反绑了。徐宣嚷着说："你反了吗？你不怕死吗？你真敢碰我？"黄浮大喝一声说："推出去砍了！"徐宣这才打着哆嗦，跪在地上喊"饶命"。黄浮的手下人都慌了，拦住黄浮说："这可使不得！万万使不得！杀了徐宣，祸事不小。"黄浮说："今天我把这个贼子宰了，明天我就是死也甘心！"他亲自监斩，砍下了徐宣的脑袋。全城的人没有一个不痛快的。

痛快固然痛快,可是徐璜怎么能放过黄浮呐?徐璜哭哭啼啼地对汉桓帝说:"黄浮受了李嵩家的贿赂,害死我的侄儿。请皇上给我做主。"汉桓帝长着耳朵,就为了听宦官的话,他马上把黄浮革职论罪。这样的冤案,何止十桩八桩。

宦官为非作歹,闹得老百姓都活不下去了。那些太学生们也再忍不住,纷纷议论起朝政来。

汉桓帝尝过秀才造反的滋味，听说太学生们又在议论纷纷，就让李膺做了司隶校尉，陈蕃做了太尉，王畅做了尚书。这三个人都是太学生们推崇的。太学生说，李膺是天下模范，陈蕃不怕豪强，王畅也是优秀人物，都称得上是君子。

这么一议论起来，大伙儿都把当时的人物评论开了，说谁谁谁是君子；谁谁谁是小人。宦官们一听就明白，这是冲着他们来的。他们就倒打一耙：谁把他们分在小人这一伙里，他们就把谁称作"党人"。因为孔夫子说过："君子群而不党"，既然是党人，就不是君子了。不是君子是什么人呐，当然也是小人。就这么着，宦官和党人成了死对头。

李膺一当上司隶校尉，就有人告发野王（在河南省沁县）县令张朔贪污、勒索，无恶不作。张朔是宦官张让的弟弟，他知道李膺的厉害，就逃到京师，躲在他哥哥张让家里。李膺听到风声，亲自带人到张让家去搜，把张朔像小鸡儿似地提溜了出来，押在监牢里。张让急忙派人去说情，没想到他

弟弟的脑袋早给砍下来了。张让气得什么似的，马上到汉桓帝跟前哭诉，可张朔已经供认了自己的罪过，汉桓帝也不好难为李膺，心里直责怪李膺不该跟宦官作对。

　　一波未平，一波又起。有个方士叫张成，素来结交宦官，吹牛说他能看风向，测吉凶。这一天，中常侍侯览透出消息来说，日内就要大赦。张成马上装腔作势地当着大伙儿看了看风向，就说皇上快要下诏书大赦天下了。别人不信，他就跟人家打赌，叫他儿子去杀了人。李膺把凶手抓了起来。第二

天，大赦的诏书果然下来了。张成得意洋洋地对大伙儿说："你们看我是不是未卜先知？诏书下来了，不怕司隶校尉不把我的儿子放出来。"这话传到李膺耳朵里，李膺更加火儿了，他说："预先知道大赦就故意去杀人，大赦也不该赦到他的身上。"他就把张成的儿子杀了。张成怎么肯甘休，去请侯览、张让他们给他报仇。侯览他们就替张成出了个主意，叫他上书控告李膺跟太学生和名士，结成一党，诽谤朝廷，败坏风俗。还附上一份所谓的"党人"的名单，把跟他们作对的人全开在上面。

汉桓帝本来就恨透了那些批评朝廷的读书人，这会儿看了控告书，就命令太尉陈蕃逮捕党人。太尉陈蕃一看名单，上面写着的都是天下名流，他不肯照办。汉桓帝火儿更大了，当时就把李膺下了监狱。大臣杜密、陈翔，连同名单上的，一共二百多人，全给逮起来了。其余的人听到风声，逃的逃、躲的躲，连个影儿都没有了。有个名士叫陈寔（shí），被划在党人里头。有人劝他逃走，他叹了一口气，说："我逃了，别人怎么办呐？我去，也可以壮壮大伙儿的胆量。"他自己来到京师，进了党人的监狱。

太尉陈蕃上了一个奏章，替党人们辩护。汉桓帝就把陈蕃革了职。李膺在监狱里想了个办法，要治治这些宦官。他传出话来，说不少宦官的子弟都是他的同党。宦官们没法儿了，只好对汉桓帝说："现在天时不正，应当大赦天下。"汉桓帝反正只听宦官的，就把两百多名党人都放了，可"禁锢"他们终身，就是永远不准他们做官。

就在这年冬天，汉桓帝害病死了。窦皇后（汉桓帝立过三个皇后，窦皇后是第三个）慌了手脚，连忙召她父亲窦武进宫，跟几个大臣商议了一下，立河间王刘开的曾孙刘宏为皇帝，就是汉灵帝。汉灵帝才十二岁，他懂得什么呐？当然由窦太后临朝。窦武为大将军，陈蕃为太尉，李膺、杜密他们又重新回来，参与朝政。朝廷上又气象一新了。

窦太后挺尊重陈蕃。可她住在宫里，天天接触的还是宦官曹节、王甫他们。她经不起这些人的奉承，把他们当做了亲信，他们请求什么，她就答应什么；他们要封谁，她就封谁。陈蕃私底下对窦武说："不除掉宦官，就没法治理天下。将军得早想个办法才好。我已经快八十了，还贪图个什么呐？

留在这儿，就为帮助将军给朝廷除害。"窦武完全理会陈蕃的心思。他马上进宫，要求窦太后除了曹节他们。窦太后怎么下得了这样的决心呐？她说："汉朝哪一代没有宦官？"

陈蕃真地拼老命了，他上书列举宦官侯览、曹节、王甫他们的罪恶，请太后立刻把他们杀了，免得造成祸害。接着又有别的大臣上书，要求罢免宦官。这么打草惊蛇，哪有不给蛇咬的呐？宦官们倒先下手了。他们拿着皇帝的节杖，说陈蕃、窦武谋反，把两个人都杀了，接着逼窦太后交出玉玺，把她关在南宫。陈蕃和窦武两家的人和他们的亲戚、门人都遭了殃，连带被害的还有好几家。李膺、杜密他们也被削职为民。这些人回到家乡，名声反而更大了。读书人把他们当做领袖。宦官更把他们当成了死对头。

山阳高平(在山东省邹县西南)有一个人叫张俭。他上书告发宦官侯览，侯览就让手下人反过来告发张俭，说他和同乡二十多人结成一党，诽谤朝廷，企图谋反。曹节他们乘机让几个心腹一起上奏章，请求再一次逮捕党人、把李膺、杜密这些人都抓起来。

汉灵帝才十四岁，哪儿懂得是怎么一回事。他问曹节："什么叫党人？为什么要抓他们？"曹节顺口就编了一通，说党人怎么怎么可怕。汉灵帝吓得缩短了脖子，连忙叫他们下诏书逮捕党人。

逮捕党人的诏书一下，各地又都骚动起来。有人得到了消息，慌忙跑到李膺家里，催他赶快逃走。李膺说："我一逃，反倒害了别人。我已经六十了，还逃到哪儿去呐？"他就自己进了监狱，后来，他和杜密都给害死了。他的门生和他推荐的官吏都被"禁锢"。别的党人被杀的、被禁的一共有六七百人，太学生被逮捕的也有一千多人。

宦官镇压了这么多的党人，当然是称心如意了。可是侯览还挺不高兴，他的死对头张俭还没拿到。他请汉灵帝通令全国，一定要捉拿张俭到案。谁窝藏张俭的，跟张俭同样办罪。张俭不像李膺、杜密他们那样情愿自己找死，他各处躲藏，还想活命。好几家人因为收留过他遭了祸，轻则下了监狱，重则处了死刑。有一家姓孔的，也因为收留过张俭倒了霉。

那个姓孔的叫孔褒(bāo)，鲁郡人，跟张俭挺要好。张俭逃到鲁郡去投奔孔褒，刚巧他不在家。他的小兄弟孔融才十六岁，自作主张把张俭留下了。张俭住了几天，不免露了风声。赶到官府派人来抓，张俭已经走了。鲁郡的官吏就把孔褒、孔融哥儿俩都逮了去。孔融说："张俭是我招待的，应当办我的罪。"孔褒说："他是来投奔我的，应当办我的罪，跟我兄弟无关。"官吏问他们的母亲孔老太太。孔老太太说："我是一家之主，应当办我的罪。"娘儿三个这么争着，弄得郡县没法判决，只好上书请示。诏书下来，只把孔褒定了罪。孔融愿意代哥哥受罪，因此出了名。

张俭这么躲来躲去，有人觉得这不是个办法。陈留（在河南省开封市东南）人夏馥（fù）也在党人名单中，他说："自己东躲西藏的，还连累别人，何苦呐？"他就把头发和胡子全都铰（jiǎo）了，逃到林虑山（在河南省林县），更名换姓，给人家做了佣人。因为天天干活，手和脸都变得又粗又黑，谁也看不出他是个读书人了。

官逼民反

公元178年，皇宫里有一只母鸡，鸡冠越长越高，有一天忽然打起鸣来了。母鸡变成公鸡，本来是生理上的一种变态，并不奇怪。古人可把它看成不祥之兆。汉灵帝着慌了，他问大臣们怎样才可以消灾。议郎蔡邕（yōng）就上了一个秘密的奏章，说国家的祸害就在朝廷上，皇上应该重用君子，远离小人。他还把朝廷上谁是君子，谁是小人，都写在奏章上。

汉灵帝看了蔡邕的奏章，着实地叹息了一番。没防着曹节趁他更衣的时候，把秘密奏章偷看了一遍。这么一来，蔡邕说些什么全给宦官们知道了，原来那上面都是冲着他们来的。中常侍程璜立刻派人告发蔡邕，说他诽谤朝廷，谋害大臣。又在汉灵帝面前加枝添叶地说蔡邕大逆不道，应当处死。汉灵帝到了儿还是听了宦官的，把蔡邕下了监狱，定了死罪。想不到宦官当中也有个替蔡邕抱不平的人，名字叫吕强。他尽力在汉灵帝面前替蔡邕说情作保。汉灵帝就叫吕强传出命令，免了蔡邕的死罪，罚他和他全家充军到朔方（在内蒙古杭锦旗西北）去。

汉朝经过这么几代外戚和宦官的折腾，国库里的钱早就花得差不多了。汉灵帝只知道吃、喝、玩、乐，可钱从哪儿来呐？宦官们就给汉灵帝出了个主意，开一个挺特别的铺子，让有钱的人来买官职和爵位：四百石的官职定价四百万钱，两千石的官职定价两千万钱，没有钱的也可以买官做，等他上任之后再加倍付款。买官做的人图个什么呐？还不是到了任上去搜刮民脂民膏。本来就连年灾荒，粮食歉收，这么一来，老百姓更苦了。实在没法子活下去，各地农民就起义了。

最先起义的是会稽人许生，他在句章（在浙江省慈溪县）举兵，没有几天工夫，参加的贫苦农民就有一万多人。他们攻破县城，杀了官吏，打退了前来围剿的官兵，许生就自称为阳明皇帝。这支农民军后来被镇压了下去，

许生也被官兵杀了。

过了不久，巨鹿郡张家三兄弟又领着老百姓起来造反。这弟兄三个：张角、张宝、张梁，都挺有本领。张角曾读过书，懂得医道，给人治病挺有效，给穷人看病还不要钱。他看到农民们都盼望能安心生产、过太平日子，就创立了一个教门，叫"太平道"，还收了一些弟子，跟他一块儿传教，治病。每逢发生瘟疫，张角把药煎好，配成现成的药水，盛在瓶子里，随时给人治病。他叫病人跪在坛前，自己念了符咒，再给病人喝药水，救活了不少人。这样一来，张角就出了名，远远近近来求医的，每天总有一百多人。张角自称为"太平道人"。人们可都尊他为"太平真人"。

相信太平道的人越来越多。张角就派他的兄弟和弟子周游四方，一面治病，一面传道。大约过了十年光景，太平道传遍青州、徐州、幽州、冀州、荆州、扬州、兖（yǎn）州、豫州，教徒发展到几十万。这八个州的老百姓不论信不信，没有不知道太平真人的。各地的官吏也认为太平道是劝人为善、给人治病的教门，没把张角他们放在心里。

张角看着时机成熟了，就暗地里发动道徒们起来反抗朝廷。他用四句话作为暗号，就是"苍天已死，黄天当立；岁在甲子，天下大吉"。"苍天"就是指汉朝，"黄天"指太平道。他们约

定在甲子年（公元184年）一块儿起义，到那时候就"天下大吉"了。

张角让他的弟子们秘密地到各地，用白土写上"甲子"两个字，大街小巷，住家店铺都写上了，连京城的城门上都写有这两个字。可就在这紧要的时候，他弟子马元义的助手唐周，怕死贪生，出卖了要起义的弟兄，上书向朝廷告密了。马元义没防着这一手，就被逮了起来。他受了各种残酷的刑罚，到了儿没投降，还拒绝了高官厚禄的诱降。最后，这位不屈服的好汉被杀害了。同时被杀的有一千多人。汉灵帝急忙下令捉拿张角兄弟。

张角到这时候，只好通知各地提前起义。他自称为"天公将军"，张宝为"地公将军"，张梁为"人公将军"。没多少天的工夫，全国就有几十万农民起义了。他们头上都裹着黄巾当做标记，起义军就叫"黄巾军"。

黄巾军一齐攻打各地郡县，火烧官府，没收官家的财物，开仓放粮。各地的郡守、刺史急得连忙向汉灵帝告急。汉灵帝急得坐也不是，站也不是。他连忙让国舅何进做大将军，保卫京师。又派大臣卢植和皇甫嵩、朱俊（jùn）各带兵马，分两路去攻打黄巾军。何进还请汉灵帝下令要各州郡加紧防备，对付黄巾。这么一来，各地的郡守、刺史和地主、豪强都趁着打黄巾的机会，混水摸鱼，招兵买马，扩大自己的地盘和势力。要是碰巧打败了黄巾，还可以升官发财，封王封侯呐！到了这个时候，他们都拼力来打黄巾了。

黄巾军一上来气势很猛，接连打下了好些郡县，杀了许多贪官污吏。可后来各地的兵马都打过来了，黄巾的粮草武器到底不如官兵，准备又不足，慢慢地退了下来。没想到这时候，天公将军张角因为劳累过度，病倒了。到八月十五日这一天，他知道自己不行了，就对站在眼前的弟弟张梁和别的几个弟子说："苍天是死了，可狼还活着。"过了一会儿，他又提高了嗓门，叫着："苍天已死，黄巾不灭；万众一心，天下大吉！"说完，这位为民除治百病，希望天下大吉的贤师良医，就死去了。

张角一死，黄巾军失去了主心骨。接着张宝、张梁也都死在战场上，这支农民起义军最后还是给镇压下去了。可天下已经被那地主豪强们闹得四分五裂，后来，形成了割据的局面。到了公元220年，东汉亡于魏。魏、蜀、吴各有皇帝，各立朝廷，正式分成了三国。